Le Français d'Aujourd'hui

quatrième partie
('O' Level)

by

P. J. DOWNES
(Headmaster, Henry Box School, Witney, Oxon)

and

E. A. GRIFFITH
(Senior Modern Language Master at the Varndean Sixth Form College, Brighton)

drawings by

F. CHALAUD
(Art Master at the Lycée Français de Londres)

HODDER AND STOUGHTON
LONDON SYDNEY AUCKLAND TORONTO

ISBN 0 340 09888 0

First Printed 1969. Reprinted (with revisions) 1972, 1974, 1976, 1978

Printed in Great Britain for Hodder and Stoughton Educational,
a division of Hodder and Stoughton Ltd,
Mill Road, Dunton Green, Sevenoaks, Kent,
by Hazell Watson & Viney Ltd, Aylesbury, Bucks

AUTHORS' PREFACE

Part 4 ('O' Level) of *Le Français d'Aujourd'hui* is for pupils in the final year of a G.C.E. 'O' level course. As well as this Pupil's Book, there is a Supplementary Booklet containing more practice material, the texts of dictations and reproduction stories, and multiple-choice comprehension tests. A parallel volume, Part 4 (for C.S.E.), leads to the C.S.E. examination.

This part of the course is independent of the others and can be used as an 'O' level revision book whatever course has been previously used.

We must make it clear that this book has a functional aim: helping pupils through their 'O' level exam on either the new or old syllabuses. So that pupils will not become totally 'exam-centred', we suggest that this book is used with the readers published in the same series.

This is not a book to be worked through page by page. Each section deals with one type of examination question. Thus the teacher must make up his own programme by selecting parts relevant to the syllabus he is following. There are three tapes for the multiple-choice listening tests, and a fourth tape (Tape D) designed for the pupils' personal use when preparing for the oral examination.

The variety and complexity of the demands made by Examining Boards on teachers and pupils are astonishing. To produce a book covering every aspect of every single syllabus, particularly when there are so many signs of change in examining at 'O' level, seems to have become almost impossible. We would claim that with our book and supplementary booklet, tapes and readers, we have come nearer complete coverage than any other course available.

Those familiar with the rest of *Le Français d'Aujourd'hui* will have noticed that we have not mentioned film strips or a Teacher's Handbook. The latter has been replaced by notes at the start of each section. The film strips from previous parts can now be re-used to maintain and develop oral competence. We hope that teachers will not reduce at this stage the emphasis on speaking French for most of the lesson.

For their great help in preparing, testing and revising our material, we are deeply grateful to Messrs W. C. Beswick, K. Booth, H. Downes, H. Gibson, N. J. Goodey, D. O. Nott, W. C. Rees and D. Stubbs. We should also like to thank our French advisers, Mrs Simone Wyn Griffith and M. Gérard Harslem.

P.J.D.
E.A.G.

We should like to thank the following G.C.E. Examining Boards for their kind permission to reproduce copyright material:

Associated Examining Board, Cambridge Local Examinations Syndicate, Joint Matriculation Board, Oxford Local Examinations Delegacy, Oxford and Cambridge Schools Examination Board, Southern Universities Joint Board, University of London Schools Examinations Department, Welsh Joint Education Committee.

We should also like to thank the following publishers for their kind permission to reproduce copyright material: Harrap, Gallimard, Éditions Pastorelly, Pauvert, and Le Figaro.

Front Cover: Institut Pédagogique National, Pierre Allard.
Back Cover: Institut Pédagogique National, Jean Suquet.

CONTENTS

1 GRAMMAR SUMMARY

NOTES FOR TEACHERS

1) This summary does not claim to be exhaustive. Elementary and minor points have been left out to keep it reasonably short. What has been included is based on an analysis of the structures set in recent 'O' level papers.

   For easy reference, every point has been given a number. These numbers are used again in the passages for translation into French in Section 2, where they send the pupils back to the relevant part of this summary.

   Each structure is dealt with in the same way. After a simple English explanation, the principle involved is illustrated in the box below. Then come exercises in French in which the sentences are to be modified on the lines of the model sentence. Finally, there are some simple English sentences whose French equivalents incorporate the relevant construction.

2) If you are not preparing your class for translation into French, use this summary:
   a) as a reference section to remedy weaknesses shown in the pupils' written work in French
   b) for periodic and systematic revision of the really basic points.

3) If your pupils will be translating into French:
   a) with those who have done the other parts of this course, prepare the paragraphs shown in brackets after the title of the passages in Section 2.
   b) with those who have been doing translation for some time, work through those paragraphs that are relevant to the mistakes they have made in the passages in Section 2.

4) There is no English-French vocabulary for this section. Only the commonest words have been used and much of the English-French vocabulary can be found in the French exercises.

HINTS FOR PUPILS

1) Don't be frightened of the word 'grammar'. It simply means the way French works.

2) Get to know this summary really well. Be able to locate any particular point you want without wasting any time.

3) Find out from your corrected work what are your weak points and concentrate on putting these right. Learn to spot the links between what is in this summary and the sentences of the passages in Section 2.

4) Use the knowledge you gain from this summary in all the written work you do in French. When you are checking your French, don't forget to watch for the points in this section.

5) If you don't understand something that has just been explained, have the courage to say so. It's your only chance of ever getting things right.

6) No great intelligence is needed in this section, but you cannot be too careful in checking matters of detail. Most mistakes are due, not to stupidity or ignorance, but to negligence. Remember that!

DEFINITE AND PARTITIVE ARTICLES

1 *The definite article* (**le, la, l', les**) *is used:*
1) *when we are talking about all the thing(s) named e.g.* J'aime **les** biscuits = *I like all biscuits.*
2) *when we are talking about one or more particular examples of the thing(s) named e.g.* **le** biscuit de Jean = *John's particular biscuit.*

The partitive article (**du, de la, de l', des**) *is used:*
1) *when we are thinking of only some of the thing(s) named e.g.* J'ai **des** biscuits = *I've a certain number of biscuits.*
2) *when we can fit the words 'some' or 'any' in the phrase e.g.* A-t-il **du** thé? = *Has he any tea?*

Voilà **le chocolat!**	Achète-moi **du chocolat!**
Je déteste **la crème.**	C'est **de la crème.**
On ne boit pas **l'essence.**	Ce n'est pas **de l'essence.**
Il adore **les frites.**	Manges-tu **des frites?**

A «Tu prends du fromage?»
«Volontiers, j'adore le fromage.»

Répondez:
1) «Tu prends du café?»
2) «Tu prends du thé?»
3) «Tu prends de la bière?»
4) «Tu prends de la salade?»
5) «Tu prends de l'huile?»
6) «Tu prends des croissants?»
7) «Tu prends des frites?»
8) «Tu prends des gâteaux?»

B «Jeanne a-t-elle du lait?»
«Oui, voilà le lait de Jeanne.»

1) «Maman a-t-elle du pain?»
2) «Michèle mange-t-elle du fromage?»
3) «Philippe a-t-il de la viande?»
4) «Papa boit-il de la limonade?»
5) «Ses amis ont-ils de l'eau minérale?»
6) «Paul et Pierre ont-ils des légumes?»
7) «Chantal porte-t-elle des bas de nylon?»
8) «Tante Marie a-t-elle acheté des petits pains?»

C bifteck; porc
Ce n'est pas du bifteck, c'est du porc.

1) bacon; jambon
2) lait; crème
3) vin; essence
4) potage; eau minérale

journaux; magazines
Ce ne sont pas des journaux, ce sont des magazines.

5) légumes; fruits
6) bas; chaussettes
7) gâteaux; omelettes
8) petits pains; croissants

D

1) *I like beefsteak and ham.*
2) *The French prefer coffee to tea.*
3) *Our dog loves meat and biscuits.*
4) *All small children hate vegetables.*
5) *Have you lost Mum's magazine?*
6) *Someone has drunk Dad's beer!*
7) *I've borrowed Jeanne's nylons.*
8) *We've bought M. Painchaud's rolls.*

E

1) *I'd like bread and cheese, please.*
2) *She has bought croissants and chocolate.*
3) *They're drinking mineral water and red wine.*
4) *We're looking for petrol and oil.*
5) *You'll have soup and rolls.*
6) *My parents gave* (offrir) *me nylon stockings.*
7) *The passengers asked for newspapers and magazines.*
8) *I've eaten meat and chips.*

F

1) *Louis hates eggs, but his wife makes excellent omelettes.*
2) *We like nylon stockings, but we are wearing white socks today.*
3) *Her husband hates fat women, but she is always eating chocolate or cakes.*
4) *He prefers wine, but he ordered mineral water.*
5) *My children like sweets, but I have given them fruit.*
6) *He dislikes vegetables, but he has asked for chips.*
7) *I adore pork, but I shall have* (prendre) *eggs this evening.*
8) *They adore hors-d'œuvre, but they have ordered soup.*

2 *After a negative verb, the partitive article is replaced by* **de (d')**. *A negative verb is one preceded by* **ne (n')**. *Here are some examples with* **ne . . . plus**.

> «Avez-vous de la bière?»
> «Non, nous **n'**avons plus **de bière**.»
>
> «Avez-vous de l'huile?»
> «Non, nous **n'**avons plus **d'huile**.»

A «Je voudrais des pommes, Madame.»
«Nous n'avons plus de pommes, Monsieur.»

Répondez:
1) «Je voudrais du bordeaux blanc, Madame.»
2) «Je voudrais des bonbons Suchard, Madame.»
3) «Je voudrais des roses blanches, Madame.»
4) «Je voudrais des petits pains chauds, Madame.»
5) «Je voudrais de l'huile d'olive, Madame.»
6) «Je voudrais des œufs frais, Madame.»
7) «Je voudrais de l'encre Waterman, Madame.»
8) «Je voudrais de l'essence Elf, Madame.»

* *Practice in English on* «plus de» *is included in B of the next paragraph.*

---

3 *Here is another negative,* **ne (n') . . . pas,** *with some more examples of* **du, de la, de l'** *and* **des** *changing to* **de (d')**.

> «Il **n'**y a pas **de verres** ici.»
>
> «Il **n'**y a pas **d'assiettes** ici.»

A «Apportez-moi des assiettes!»
«Il n'y a pas d'assiettes ici.»

Répondez:
1) «Apportez-moi de l'eau!»
2) «Apportez-moi de l'encre!»
3) «Apportez-moi des couteaux!»
4) «Apportez-moi de la viande!»
5) «Apportez-moi des biscuits!»
6) «Apportez-moi des bouteilles!»
7) «Apportez-moi du beurre!»
8) «Apportez-moi de la crème!»

B
1) *No, there aren't any knives on the table.*
2) *I shan't eat any meat, thanks.*
3) *She doesn't see any plates in the sideboard.*
4) *No, I haven't bought any wine in France.*
5) *They have no more red Bordeaux.*
6) *He's no more ink in his pen.*
7) *The baby can't drink any more milk.*
8) *There aren't any more bottles on the shelf.*

---

4 **Des** *is replaced by* **de (d')** *when it comes in front of an adjective that is in the plural.*

> Ce sont des villes.
> Ce sont **de vieilles villes.**

A «Ces villes sont vieilles, n'est-ce pas?»
«Oui, ce sont de vieilles villes.»

Répondez:
1) «Ces chambres sont petites, n'est-ce pas?»
2) «Ces jeunes filles sont jolies, n'est-ce pas?»
3) «Ces disques sont nouveaux, n'est-ce pas?»
4) «Ces joueurs sont bons, n'est-ce pas?»
5) «Ces voleurs sont jeunes, n'est-ce pas?»
6) «Ces dames sont vieilles, n'est-ce pas?»
7) «Ces églises sont belles, n'est-ce pas?»
8) «Ces professeurs sont vieux, n'est-ce pas?»
9) «Ces livres sont grands, n'est-ce pas?»
10) «Ces comédies sont meilleures, n'est-ce pas?»

B
1) *Jeanne has visited some other countries.*
2) *We saw some lovely old churches.*
3) *I put on some new nylons.*
4) *We went to see some good plays.*
5) *Your sons are young thieves!*
6) *Our headmaster is looking for some better teachers.*
7) *Did you send some large bottles?*
8) *They brought us some lovely eggs.*

---

5 *A very common way to describe what somebody looks like is to use* **avoir** + *the definite article + a part of the body + an adjective. Note the adjective always comes last, after its noun.*

> Antoine **a les cheveux très longs.**

A Ses cheveux sont noirs.
Il a les cheveux noirs.

1) Ses bras sont longs.
2) Nos yeux sont clairs.
3) Leurs jambes sont minces.
4) Vos pieds sont plats.
5) Ma barbe est longue.
6) Tes dents sont très blanches.
7) Mes joues sont roses.
8) Leurs mains sont sales.

B *My eyes are brown.*
a) **Mes yeux sont bruns.**
b) **J'ai les yeux bruns.**

1) *My teeth are yellow.*
2) *His hair is grey.*
3) *Jeanne, your hands are dirty.*
4) *Her legs are long.*
5) *Madame, your skin is very white.*

---

6 *Another way of describing somebody is to use the appropriate form of* **au, à la, à l'** *or* **aux** + *the part of the body* + *an adjective.*

L'homme **à la barbe blanche.**

A Je cherche l'homme qui a la barbe blanche.
Je cherche l'homme à la barbe blanche.

1) Je cherche la jeune fille qui a les yeux verts.
2) Je cherche le chat qui a la queue longue.
3) Je cherche les femmes qui ont la bouche fraîche et rose.
4) Je cherche le garçon qui a les cheveux blonds.
5) Je cherche l'homme qui porte les lunettes noires.
6) Je cherche la dame qui a la peau blanche.
7) Je cherche l'animal qui a le cou long.
8) Je cherche les messieurs qui ont les pieds plats.

B

1) *There's the policeman with the flat feet!*
2) *They are* (Ce sont) *the men with the grey hair.*
3) *You're the boy with the pink cheeks.*
4) *She's* (C'est) *the lady with the thin legs.*
5) *He's* (C'est) *the baby with the blue eyes.*
6) *My father is the man with the dark glasses.*
7) *Kiki is the dog with the white tail.*
8) *What is that animal with the black legs?*

ADJECTIVES

7 *All French adjectives agree with the noun they refer to.*
The two main groups are:
1) *those like* **rouge** *which end in unaccented* **e**
2) *those like* **noir** *which do* **not** *end in unaccented* **e.**

Ce livre est **rouge et noir.**

Ces livres sont **rouges et noirs.**

Cette chemise est **rouge** et **noire.**

Ces chemises sont **rouges** et **noires.**

A Le ciel est-il noir aujourd'hui?
Non, il est bleu.

Répondez:
1) Les carottes sont-elles bleues?
2) Les éléphants sont-ils légers?
3) Les maths sont-elles ennuyeuses?
4) Ces exercices sont-ils faciles?
5) Les élèves de votre lycée sont-ils bêtes?
6) Un chat est-il grand?
7) Vos cheveux sont-ils blonds?
8) Vos professeurs sont-ils jeunes?
9) Les millionnaires sont-ils pauvres?
10) Les murs d'un château fort sont-ils étroits?

8 *Take great care with adjectives like these, because they are not like either* rouge *or* noir.

All adjectives ending in:

-el naturel naturels naturelle naturelles
officiel

-er cher chers chère chères
étranger
léger
premier

-f vif vifs vive vives
neuf
actif

-x creux creux creuse creuses
malheureux

Irregular Adjectives

blanc blancs blanche blanches

doux doux douce douces

épais épais épaisse épaisses

faux faux fausse fausses

favori favoris favorite favorites

frais frais fraîche fraîches

sec secs sèche sèches

A ***Complete by picking an adjective from the boxes.***

1) Si j'aime Françoise Hardy? Mais c'est ma chanteuse ——.
2) Attention aux poissons d'avril! Nous sommes le —— avril aujourd'hui.
3) Oui, ma fille travaille tout le temps. C'est une jeune fille très ——.
4) Elle a perdu son porte-monnaie. Qu'elle est —— !
5) As-tu vu sa nouvelle voiture? Elle est toute — —.
6) S'il ne pleut pas, tous les champs seront ——.
7) Tu peux faire ce que tu veux. Je te donne carte——.
8) Cette histoire n'est pas vraie. Elle est complètement ——.
9) Viens sous les arbres. Il fait plus —— ici.
10) Ne t'excuse pas. Ton erreur était tout à fait ——.
11) Les gaz ne sont pas lourds. Ils sont ——.
12) La peau d'un éléphant est très ——.
13) Pour les Anglais, la France est un pays ——.
14) On ne peut boire que de l'eau ——.
15) Si j'en suis certain? Mais c'est une nouvelle ——.

9

Beau, nouveau *and* vieux *have a special form* **bel**, **nouvel** *and* **vieil** *which is only used before* ***a masculine singular noun beginning with a vowel or silent h.***

un {beau / nouveau / vieux} parc de {beaux / nouveaux / vieux} {parcs / hôtels}

un {**bel** / **nouvel** / **vieil**} hôtel

une {belle / nouvelle / vieille} école de {belles / nouvelles / vieilles} écoles

A «Cette maison est-elle vieille?»
«Oui, c'est une vieille maison.»

Répondez:

1) «Cet homme est-il beau?»
2) «Ces pays sont-ils beaux?»
3) «Cette ville est-elle belle?»
4) «Ces histoires sont-elles vieilles?»
5) «Cette idée est-elle nouvelle?»
6) «Ces vêtements sont-ils beaux?»
7) «Ce marin est-il vieux?»
8) «Cet agent est-il vieux?»

B

1) *We are going to stay in* (faire un séjour dans) *a lovely hôtel.*
2) *The new pupil is called Meaulnes.*
3) *Ah, there's an old story!*
4) *I found a lovely park.*
5) *We have bought an old flat.*
6) *He's bought some lovely shirts.*
7) *Jean Bart was an old sailor.*
8) *We need new ideas.*

10

When adjectives are used to compare and contrast nouns, we need one of these constructions.

Jean est **plus grand que** Paul.

Paul est **moins grand que** Jean.

Paul n'est pas **aussi grand que** Jean.

N.B. better than = **meilleur(e)(s) que**

A Une dictée (difficile) une version
a) **Une dictée est plus difficile qu'une version.**
b) **Une version est moins difficile qu'une dictée.**
c) **Une version n'est pas aussi difficile qu'une dictée.**

1) L'Angleterre (humide) la France
2) Le rouge (gai) le noir
3) L'été (chaud) l'automne
4) Les fauteuils (confortables) les bancs
5) Ces poires-ci (mûres) ces pommes-là

B

1) *Your shirt is dirtier than John's shirt.*
2) *Their house is not so warm as our house.*
3) *His mother is older than your father.*
4) *This train is less quick than le Mistral.*
5) *This boy is not so serious as his sister.*
6) *She is not as kind as you.*
7) *Our Citroën is less comfortable than your Renault.*
8) *You are not more intelligent than me.*

11

Here is a list of the commonest adjectives that come in front of their noun.

bon (bonne); **gentil** (gentille); **grand; gros** (grosse); **haut**; **joli**; **long** (longue); **mauvais**; **petit**

A Cette histoire est longue et ennuyeuse.
Oui, c'est une longue histoire ennuyeuse.

1) Cet arbre est gros et vert.
2) Cette pièce est bonne et amusante.
3) Cette voiture est petite et confortable.
4) Cette jeune fille est jolie et polie.
5) Ce bâtiment est grand et remarquable.
6) Cet hôtel est mauvais et peu confortable.
7) Ces murs sont hauts et laids.
8) Ces enfants sont gentils et sages.
9) Ces chiens sont jeunes et actifs.
10) Ces routes sont longues et monotones.

12

The six adjectives **ancien, brave, cher, dernier, pauvre** *and* **propre** *have each two meanings: one if they precede the noun; another quite different if they follow it. Study this box to find the different meanings.*

un **ancien élève**	*old (former)*	*old (ancient)*	un château **ancien**
de **braves** gens	*good*	*brave*	un marin **brave**
ma **chère** sœur	*dear (beloved)*	*dear (expensive)*	une voiture **chère**
les **dernières** informations	*last (most recent)*	*last (latest in series)*	la semaine **dernière**
ma **pauvre** fille!	*poor (miserable)*	*poor (impoverished)*	un pays **pauvre**
son **propre** fils	*own*	*clean*	des mains **propres**

A Complétez:

(ancien)
1) «Avant de prendre sa retraite, il était boulanger?» «Oui, c'est un . . . . .
2) «Le latin n'est pas une langue moderne.» «Non, c'est une . . . . .

(brave)
3) «Cet homme s'est montré courageux» «Oui, c'est un . . . . .
4) «Tu vas m'aider, Jeannot. Ah, tu es un . . . . .

(cher)
5) «Jeanne est ton amie?» «Bien sûr, c'est une . . . . .
6) «Combien a-t-elle payé sa robe?» «Je ne sais pas, mais c'est certainement une . . . . .

(dernier)
7) «Elles sont parties il y a un mois?» «Oui, c'était le . . . . .
8) «Ton auto, c'est un nouveau modèle?» «Ah oui, c'est le . . . . .

(pauvre)
9) «Sa famille n'a pas assez d'argent?» «Oui, c'est une . . . . .
10) «Ton garçon n'a pas réussi à son examen de français?» «Oui, c'est vrai. Le . . . . .

(propre)
11) «Tu l'as payé avec ton argent de poche?» «Oui, je l'ai payé avec mon . . . . .
12) «As-tu touché mon livre avec tes mains sales, Adolphe?» «Ce n'est pas moi, Monsieur. J'avais les. . . . .

B

1) *He's* (C'est) *an old boy of our school.*
2) *I saw it with* (de) *my own eyes.*
3) *The poor girl has gone to hospital.*
4) *Last week, we went to Versailles.*
5) *He put on a clean shirt.*
6) *I have lost a very dear friend.*
7) *You're a good boy, my son!*
8) *Marie-Antoinette showed herself a brave woman.*
9) *Here is our latest book.*
10) *They gave some money to the poor man.*
11) *My dear wife, I love you.*
12) *We visited an old church.*

RELATIVE PRONOUNS

13 *One of the commonest ways of linking sentences is by* **qui** *or* **que (qu')**. *You must be able to handle these with absolute confidence:*

qui *is the* ***subject*** *of the verb after it. It is* ***never*** *shortened.*

que *is the* ***object*** *of the verb after it. It is shortened to* **qu'** *before a vowel or silent h. It is* ***never*** *left out, as in English: 'The bag I found . . . . .'*

> Tu as trouvé le billet **qui était** sur le bureau.
>
> Le billet **que tu as trouvé** était sur le bureau.

A Nous regardons le paysan. Le paysan porte un gros sac.
  a) **Nous regardons le paysan qui porte un gros sac.**
  b) **Le paysan que nous regardons porte un gros sac.**

1) J'ai manqué le bus. Le bus était en retard.
2) Elle a pris le balai. Le balai était au fond de l'armoire.
3) Maman a acheté le manteau. Le manteau est ravissant.
4) Ils ont rencontré le monsieur. Le monsieur habite 10 rue Debussy.
5) Tu as monté le colis. Le colis est sur la commode de ma chambre.

B

1) *I met a man who was carrying a sack of potatoes.*
2) *The headmaster, who was very angry, came into our room.*
3) *I borrowed the broom which the Duclos had bought.*
4) *He lent me his car, which is a Renault R8.*
5) *Here is the parcel that arrived this afternoon.*
6) *The coat they* (= on) *were looking for was on that armchair.*
7) *I shut the novel I was reading.*
8) *I gave her the bag you had bought.*
9) *The film they saw was in* (= en) *black and white.*
10) *The programme you are watching isn't very good.*

14 **Dont** *really means 'of whom' and 'of which'. It never changes in any way, and any sentence with* **dont** *has to follow the rigid order shown in this box.*

	1 *antecedent*	2 dont	3 *subject*	4 *verb*	5 *etc*
Voilà	**le musée**	**dont**	**Paul**	**a parlé**	hier
Voici	**Mme Martin**	**dont**	**tu**	**connais**	le fils

A Elle a épousé M. Grisbi. La famille de M. Grisbi est très riche.
Elle a épousé M. Grisbi dont la famille est très riche.

Join these pairs of sentences with **dont:**

1) Le garçon nous a apporté une salade. Nous nous sommes plaints de la salade.
2) Voilà l'auteur. Notre prof. m'a prêté un des romans de cet auteur.
3) L'ouvrier a emporté le marteau. J'ai besoin du marteau.
4) Je te présente Mireille Luc. Tu as déjà rencontré le frère de Mireille.
5) Il portait une chemise rose. Nous nous sommes moqués de la chemise.
6) Ils ont vu la Loire. Nous avons visité les châteaux de la Loire.

B

1) *I read another novel whose title I have forgotten.*
2) *They have a friend whose parents live in Lyons.*
3) *We had never seen the hammer of which she spoke.*
4) *There's my friend Jeanne whose house we visited last week.*
5) *Here's the lady whose sister you met yesterday.*
6) *I couldn't eat the chicken of which I complained.*

---

15 *If there is a preposition in front of the relative pronoun, we use different pronouns to talk about* ***people*** *and about* ***things.*** *We use* **qui** *for* ***people***, *and* **où** *or some form of* **lequel** *for* ***things***. *Study the box below for details.*

People	***Things***
l'homme à qui je parle	**le cinéma où** nous allons
le garçon avec qui tu sors	**le bâton avec lequel** il nous frappe
les garçons avec qui nous sortons	**les bâtons avec lesquels** il nous frappe
la dame sur qui tu comptes	**la fenêtre par laquelle** tu regardes
les dames sur qui tu comptes	**les fenêtres par lesquelles** tu regardes

A ***Join these pairs of sentences with relative pronouns:***

1) Comment s'appelle la jeune fille? Tu as dit bonjour à cette jeune fille.
2) Voici la table. Notre bébé s'est endormi sous cette table-ci.
3) Que penses-tu des règlements? Tous les étudiants ont protesté contre ces règlements.
4) Regardez la maison blanche. Il y a de très beaux jardins derrière cette maison-là.
5) Voilà le théâtre. Nous allons voir une pièce d'Anouilh à ce théâtre-là.
6) Qui est l'élève? On t'a puni à cause de cet élève.
7) Tu n'as pas vu ma moto. J'ai acheté ce nouveau phare pour ma moto.
8) Qui était la dame? Tu es sorti avec cette dame hier soir.

B

1) *That's the flat in which* (= *where*) *we live.*
2) *I know the cousin to whom you sent the invitation.*
3) *Have you the keys with which one opens these cupboards?*
4) *Do you remember the boys with whom we used to play?*
5) *We were staying at* (faire un séjour dans) *a hôtel behind which was a lovely park.*
6) *Who was the gentleman to whom you were talking?*
7) *Which are the towns to which* (= *where*) *you are going?*
8) *I don't know* (connaître) *the song by which she began.*

16

Every relative must have a noun in front of it. If there is no noun there, we always supply the same word: **ce**. *It never changes.*

Je vois **les articles qui** sont dans la vitrine.
Je vois **ce qui** est dans la vitrine.

Il a mangé **les plats que** tu as mis dans le frigo.
Il a mangé **ce que** tu as mis dans le frigo.

A «Qu'est-ce qu'elle a dit?» «Je n'ai pas entendu. . . . .
«Je n'ai pas entendu ce qu'elle a dit.»

Complétez:

1) «Qu'est-ce qu'ils ont répondu?» «Je n'ai pas compris. . . . .
2) «Qu'est-ce qui se trouve derrière l'église?» «Nous ne savons pas. . . . .
3) «Qu'est-ce que cette foule attend?» «Je ne peux imaginer. . . . .
4) «Qu'est-ce que le général a annoncé à la télévision?» «Nous n'avons pas écouté. . . . .
5) «Qu'est-ce que ce grand garçon a écrit sur le mur?» «Malheureusement, je ne comprends pas. . . . .
6) «Qu'est-ce qu'il y a au fond de la salle?» «On va demander. . . . .
7) «Qu'est-ce qui s'est passé hier?» «Mais tout le monde sait. . . . .
8) «Qu'est-ce qui le rend si furieux?» «Je ne sais pas. . . . .

B

1) *Ask him what he's waiting for.*
2) *Have you read what I've written under this picture?*
3) *Bring me what is on the second shelf.*
4) *Do you listen to what your teacher says?*
5) *We don't understand what is going on here.*
6) *Did you hear what she replied?*
7) *I ate what I found in the fridge.*
8) *I didn't take what was on the counter.*

17

Similarly, we need to supply ce *between* **tout** *and* **qui** *or* **que (qu')**.

All that . . ., everything that . . . . .

J'ai mangé **tout ce qui** était dans le frigo.

Il a bu **tout ce que** j'ai acheté au bar.

A Complétez:

1) «As-tu bu le whisky, le porto et le cognac que papa gardait dans le buffet?» «Oui, j'ai bu. . . . .
2) «Est-ce que les policiers ont trouvé les billets et les mandats qu'on cachait dans la grange?» «Oui, ils ont découvert. . . . .
3) «As-tu vu le pantalon, la chemise et les souliers que portait Pierre?» «Oui, j'ai bien remarqué. . . . .
4) «Avez-vous loué les chaises, les tables et les lits qui se trouvaient dans la tente?» «Oui, nous avons loué. . . . .
5) «Est-ce que tes parents ont trouvé les draps et les couvertures qu'ils voulaient acheter?» «Oui, merci, ils ont trouvé. . . . .

B

1) *We have everything we want.*
2) *Everything that he says is true.*
3) *She found* (retrouver) *everything she had lost.*
4) *He stole everything that was in my tent.*
5) *Everything which was in the room was dirty.*

OTHER PRONOUNS

18

On *is used in French to express many different meanings (see Exercise C). By using* **on**, *you can avoid many difficult passive constructions: instead of saying, 'Something has been done', you will say, 'Someone has done something'. Remember it must be possible for human agency to have done whatever you have said.*

On a choisi l'équipe=*The team was chosen.*

On m'a réveillé à 5 heures=*I was woken . . .*

A La maison a été peinte.
On a peint la maison.

1) Les fenêtres ont été fermées.
2) Le plan secret a été perdu.
3) La boîte de sardines a été ouverte.
4) Les vieux meubles ont été nettoyés.
5) Ce savon a été lancé sur le marché.

Elle a été guérie.
On l'a guérie.

6) Elles ont été transportées à l'hôpital.
7) J'ai été frappé à la tête.
8) Nous avons été attaqués hier soir.
9) Vous avez été admirées à la soirée.
10) Tu as été vu devant la maison du proviseur.

B *Use «on» in all these sentences:*

1) *All the carpets have been cleaned.*
2) *The ship has been launched.*
3) *The door was opened.*
4) *Your car has been admired.*
5) *I was taken to hospital.*
6) *She had been attacked in Montmartre.*
7) *They have been shown a hundred hats.*
8) *You have been seen at the cinema.*

C *Use «on» in all these sentences:*

1) *Someone had broken a cup.*
2) «Au revoir», *as they say in France.*
3) *One cannot buy ham in a bakery.*
4) *In Rome, you speak Italian.*
5) *We don't do that here.*
6) *People say that it is always raining in Lyon.*
7) *We've changed all that.*
8) *Somebody knocked at the door at midnight.*

19

If **quelque chose** *and* **rien** *are followed by an adjective, they need* **de (d')** *in front of it. If* **quelque chose** *and* **rien** *are followed by an infinitive, they need* **à** *in front of it.*

quelque chose de bon **rien de bon**

quelque chose à boire **rien à boire**

A «Il n'y a rien à faire ici?» «Si, il y a. . . . .
«Si, il y a quelque chose à faire ici.»

Complétez:
1) «Tu ne prends rien d'autre?» «Si, je prendrai. . . . .
2) «Vous avez quelque chose à lui dire?» «Non, nous n'avons. . . . .
3) «As-tu quelque chose de bon?» «Non, je n'ai. . . . .
4) «Y a-t-il quelque chose d'important ce matin?» «Non, il n'y a. . . . .
5) «Cette affaire n'a rien de spécial?» «Si, elle a. . . . .
6) «Alors, il n'avait rien à manger?» «Si, il avait. . . . .

B
1) *It's something new.*
2) *Give me something to eat.*
3) *The thief had nothing to say to the police.*
4) *I've nothing important today.*
5) *I don't see anything to drink in the kitchen.*
6) *Has she something to do?*

20

'A few' with a noun next to it is **quelques.** *'A few' on its own is* **quelques-uns,** *or* **quelques-unes.**
'A few of these' followed by a noun is **quelques-uns de ces . . .,** *or* **quelques-unes de ces . . . . .**

quelques instants	**quelques minutes**
quelques-uns (de ces cars)	**quelques-unes** (de ces autos)

A

Complétez:

1) «Toutes vos amies sont venues?» «Non, —— seulement.»
2) «Tous vos camarades sont partis?» «Non, —— seulement.»
3) «Les agents ont arrêté tous ces gens?» «Non, —— personnes seulement.»
4) «As-tu lu tout le magazine?» «Non, —— pages seulement.»
5) «Tu as mangé tous les gâteaux, alors?» «Mais non, —— de ces petits fours seulement.»
6) «Il a corrigé tous nos devoirs?» «Non, —— de ces rédactions seulement.»

B

1) *Wait a few minutes!*
2) *Show me a few exercises.*
3) *I have learnt a few of these words.*
4) *A few people* (personnes) *were speaking Spanish.*
5) *A few of these cars are French.*
6) *I took a few photos.*

21

'The one(s) who', 'the one(s) which' are some form of **celui qui** *or* **celui que (qu').** *The part of* **celui,** *etc, you choose depends on what noun you are replacing by 'the one(s)'.*

Prenez ce **crayon** et **celui qui** est à gauche.
Prenez ces **crayons** et **ceux qui** sont à gauche.

Ouvre cette **boîte** et **celle que** tu as apportée.
Ouvre ces **boîtes** et **celles que** tu as apportées.

A

Complétez:

1) Donnez-moi ces livres-ci et —— qui sont sous la bibliothèque.
2) Passe-moi ce coussin-là et —— qui est à tes côtés.
3) Je vais parler aux scouts français et à —— qui viennent du Canada.
4) Nous avons apporté ces pantoufles-là et —— que tu tiens à la main.
5) Qui est Marie? Mais c'est —— qui porte toujours des lunettes noires.
6) Je prendrai cette bouteille-ci et —— qui est à 8 francs.

B

1) *Pick up these slippers and the ones which are under your bed.*
2) *I read this newspaper and the one that Dad buys.*
3) *I like good* (sages) *little girls, but not those who are too good.*
4) *My sister is the one who is wearing the red coat.*
5) *Doctor* (Le docteur) *Rabelais has cured this patient and the one who is next to him.*
6) *The scouts helped the poor children and those who hadn't any parents.*

22

Celui de, *etc, is used to replace the English apostrophe 's' in phrases like 'my car and Bill's'. The part of* **celui de** *you choose depends on the noun you are replacing by it. Don't forget that the* **de** *frequently changes to* **du, de la, de l',** *or* **des.**

Mon **sac** et **celui de** Pierre.
Mes **frères** et **ceux de** Pierre.

Ma **serviette** et **celle du** professeur.
Mes **affaires** et **celles des** Bertillon.

A

Complétez:

1) Le chien a mangé mon bifteck et —— de maman.
2) Je vais chercher vos pantoufles et —— de papa.
3) Tu as déjà conduit ma voiture et —— de ton frère aîné.
4) Les voyages de Marco Polo et —— de Colomb sont des plus passionnants.
5) Les villes de France sont plus anciennes que —— de Grande-Bretagne.
6) La vallée du Rhône n'est pas aussi longue que —— du Rhin.

B

1) *She ate my petits fours and her sister's.*
2) *I prefer your slippers to Jeanne's.*
3) *He lost my biro and his brother's.*
4) *The gendarmes spoke to the driver of the Renault and to the Citroën's.*
5) *The waiter knocked over my cup and my uncle's.*
6) *Your eyes are lighter* (plus clairs) *than your mother's.*

INTERROGATIVES

23 *There are two forms of most French interrogatives.*
If you choose the short form, remember to invert the verb and its subject.
If you choose the long form, you need not alter the verb at all, but watch how you spell your interrogative.

	Short form	*Long form*
Who? *(subject)*	**Qui** est dans la cuisine?	**Qui est-ce qui** est dans la cuisine?
Who? *(object)*	**Qui** as-tu vu?	**Qui est-ce que** tu as vu?
What? *(subject)*		**Qu'est-ce qui** est arrivé?
What? *(object)*	**Qu'**as-tu fait?	**Qu'est-ce que** tu as fait?
To *(etc)* ***whom?***	**A qui** parles-tu?	**A qui est-ce que** tu parles?
About *(etc)* ***what?***	**De quoi** parle-t-elle?	**De quoi est-ce qu'**elle parle?

A Jean est dans le salon.
a) **Qui est dans le salon?**
b) **Qui est-ce qui est dans le salon?**

Find the questions to which these sentences might have been the answers. Where possible, give two versions of each question, one short, one long.

1) Un soldat a été tué.
2) Nous avons mangé des cuisses de grenouilles.
3) J'ai écrit à une certaine Madame de Sévigné.
4) Je l'ai ouverte avec ta clef.
5) Nous sommes allés voir ma vieille tante, Isabelle.
6) Un grave accident s'était produit.
7) Ces souliers-là appartiennent à Martin.
8) Le professeur Joliot l'a découvert.

B ***Give two versions of each sentence where possible.***

1) *What happened at school today?*
2) *Who has taken my English book?*
3) *With whom did you go out last night?*
4) *To whom does the white car belong?*
5) *Who did you see at the match?*
6) *In what did you put it?*
7) *What did they find in the loft?*
8) *Who is talking to the man with the long hair?*

24 *The other common interrogative words need the verb and subject to be inverted, but you can avoid clumsy inversions by using* **est-ce que** *immediately after the opening interrogative.*

At what time?	**A quelle heure** l'accident est-il arrivé?
How?	**Comment** t'es-tu cassé le bras?
How long?	**Depuis quand** apprennent-ils l'allemand?
How much *(**many**)**?***	**Combien de** tes camarades étaient là?
When?	**Quand est-ce qu'**il a fini d'habiter cette maison-là?
Where?	**Où est-ce que** j'ai laissé mon stylo?
Which . . .?	**Quelle place** a-t-elle louée?
What is . . .?	**Quel est** son **nom?**
Why?	**Pourquoi** est-il parti sans nous attendre?

A ***Find the questions to which these are the answers.***

1) Il est 14 heures 30.
2) Nous y sommes arrivés à 20 heures.
3) J'ai acheté une livre de beurre.
4) Nous y sommes allés en automne.
5) Son adresse est 10 rue de Paris.
6) Il l'a fait parce qu'il voulait s'échapper.
7) Le canapé est dans le salon.
8) Il gagne sa vie en écrivant des livres de français.
9) Je l'apprends depuis cinq ans.
10) Il y a trente élèves dans notre classe.

B

1) *Why did you come here?*
2) *How did you learn to speak French so well?*
3) *How many people* (personnes) *were at the theatre?*
4) *Where did you lose your watch?*
5) *Which wine do you prefer?*
6) *At what time does the plane leave the aiport?*
7) *What is that object?*
8) *When did you start to work hard?*
9) *How long have you been living here?*
10) *How much money did you spend in Paris?*

25 *Another common use of* **quel,** *etc, is in exclamations.*
Remember there is **no** *word between* **quel,** *etc, and its noun or adjective.*

What (a)——!

Quel dommage!	**Quelle longue barbe!**
Quels garçons!	**Quelles jolies filles!**

A

Complétez:

1) J'ai perdu tout mon argent. —— ——!
2) Si nous allions sur la Lune! —— ——!
3) Elle ne peut pas venir à notre surprise-party. —— ——!
5) On m'a invité à passer 10 jours à Saint-Tropez. —— ——!
6) Il pleut sans cesse. —— ——!
7) Il s'est cassé la jambe. —— ——!
8) Je m'ennuie en me rasant. —— ——!

B

1) *What luck!*
2) *What bad luck!*
3) *What a boy!*
4) *What a pity!*
5) *What a surprise!*
6) *What weather!*
7) *How horrible!*
8) *What a bore!*

PERSONAL PRONOUN ORDER

26 *When there are two pronoun objects in front of a verb, the order must follow the pattern shown below.*

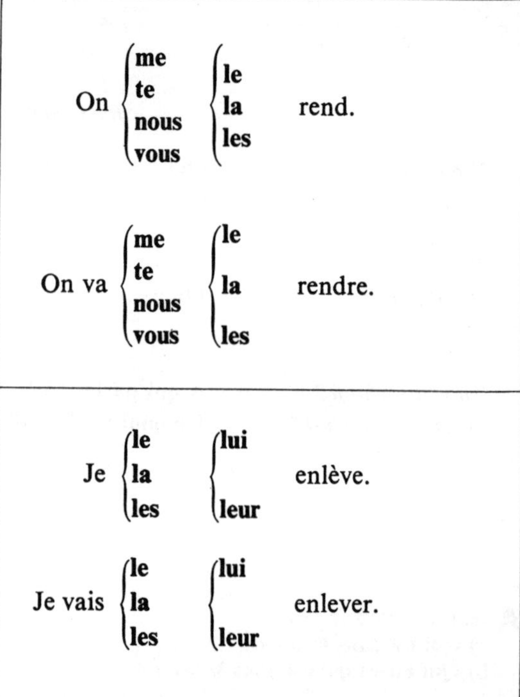

A

Complétez:

1) «Est-ce que Jean te rendra ta casquette?» «Mais oui, il. . . . .
2) «M'enverra-t-il les mandats?» «Mais oui, il. . . . .
3) «Est-ce que M. Painchaud vous vendra la baguette?» «Mais oui, il. . . . .
4) «Les clients n'achètent pas leur bifteck au boucher?» «Mais si, ils. . . . .

5) «On ne va pas voler le képi à l'agent?» «Mais si, on va. . . . .
6) «Notre directeur va raconter l'histoire à nos parents?» «Mais oui, il va. . . . .
7) «Doit-on lui envoyer les cartes?» «Non, on ne doit pas. . . . .
8) «Puis-je te montrer mon nouvel appareil?» «Oui, tu peux. . . . .

B

1) *I took it from them.*
2) *He said it to me.*
3) *I'll show it to you.*
4) *He will give them back to us.*
5) *Pierre is going to sell them to her.*
6) *We can send it to you.*
7) *I know how to explain it to them.*
8) *You must offer it to us first.*

27

*When there are two pronoun objects after the noun (as in **positive** commands to do something), the order must follow this different pattern.*

*When you are telling someone **not** to do something, the pronouns will come in front of the verb and follow the normal order (see 26 and the second example in* A *below).*

Donnez - { **le** / **la** / **les** } - { **moi** / **lui** / **nous** / **leur** } !

A «Dis à ta femme de nous ouvrir la porte.»
«Ouvre. . . . .
«Ouvre-la-nous!»

«Défends à Jean de nous raconter l'affaire.»
«Ne . . . .
«Ne nous la raconte pas!»

Complétez:

1) «Dis à Annette de donner l'argent à Jean.» «Donne. . . . .
2) «Dis à Charles de nous passer les assiettes.» «Passe. . . . .
3) «Dis à ton fils d'offrir les chocolats à Philippe.» «Offre. . . . .
4) «Dis à Charles de raconter l'histoire à nos amis.» «Raconte. . . . .
5) «Défends à Annette de nous montrer ses diapositives.» «Ne. . . . .
6) «Défends à Charles de te payer le repas.» «Ne. . . . .
7) «Défends à Léon de lui rendre ses affaires.» «Ne. . . . .
8) «Défends à ton mari de leur vendre sa moto.» «Ne. . . . .

B

1) *Send it to me!*
2) *Give them back to her!*
3) *Serve them to him!*
4) *Show them to them!*
5) *Don't show it to us!*
6) *Don't tell it to her!*
7) *Don't pass it to him!*
8) *Don't say them to them!*

VERB TENSES

28 *FUTURE TENSE*

To form the future we add the **endings** *to the* **stem**, *which never changes.*
The endings come from the present of avoir *and they are used in every verb without exception. You will see them below at the end of each verb.*
The future stem is shown below printed in bold face. Watch particularly columns 2, 5 and 6.

-ER	*Special* -ER *verbs*	-IR	-RE	*Irregulars*	
je **donner**ai	j'**appeller**ai	je **finir**ai	je **vendr**ai	être—je **ser**ai	venir—je **viendr**ai
tu **donner**as	——	tu **finir**as	tu **vendr**as	avoir—j'**aur**ai	tenir—je **tiendr**ai
il **donner**a	tu **jetter**as	il **finir**a	il **vendr**a	savoir—je **saur**ai	voir—je **verr**ai
nous **donner**ons	——	nous **finir**ons	nous **vendr**ons	faire—je **fer**ai	envoyer—j'**enverr**ai
vous **donner**ez	il **lèver**a	vous **finir**ez	vous **vendr**ez	aller—j'**ir**ai	pouvoir—je **pourr**ai
ils **donner**ont	——	ils **finir**ont	ils **vendr**ont	devoir—je **devr**ai	
	nous **essuier**ons				
	——				
	ils **nettoier**ont				

A Demain nous allons visiter le Louvre.
Demain nous visiterons le Louvre.

1) Dimanche, nous allons coucher dehors.
2) L'année prochaine, tu vas acheter une autre voiture.
3) Dans trois mois, le Père Noël va arriver.
4) Mardi, ils vont se promener dans le parc de Versailles.
5) Demain matin, on va jeter tout cela à la poubelle.
6) A partir de juillet, vous allez vous appeler Deschamps.
7) Jeudi prochain, le train va partir dix minutes plus tôt.
8) Vendredi, les classes vont finir à midi.
9) L'année prochaine, je vais apprendre l'italien.
10) Dans huit jours, vous allez vous rendre à Marseille.

B

Put «Je te dirai» in front of each of these clauses. The verb in the second part of each answer will be in the future.

1) . . . quand nous sommes à Paris.
2) . . . quand ils vont au collège.
3) . . . quand elle nous voit.
4) . . . quand Jacques m'envoie le colis.
5) . . . quand il ne fait plus mauvais temps.
6) . . . quand nous pouvons partir.
7) . . . quand on sait le résultat du match.
8) . . . quand j'ai faim.
9) . . . quand mes parents doivent déménager.
10) . . . quand les Berthaud viennent nous voir.

C

1) *When Dad gets home, we'll be waiting for him at the bus stop.*
2) *When you are tired, they'll help you.*
3) *When we are hungry, we shall have lunch.*
4) *When I am old, I shall live in Provence.*
5) *When the telephone rings, it* (ce) *will be my father*
6) *When my parents go abroad, we shall leave with them.*

D

1) *I'll see you tomorrow morning.*
2) *Our friends will be coming to see us on Tuesday.*
3) *Jeanne will send you a postal order.*
4) *You'll be coming back by train.*
5) *We shall call him Miquet.*
6) *I shall go for* (faire) *a walk after dinner.*

29 *FUTURE PERFECT*

To form this tense, we take the **future** *of* **avoir** *or* **être** *and put it in front of the* **past participle.**

The main use of the future perfect is after conjunctions like: **quand, dès que, aussitôt que, après que,** *when they refer to an action in the future that will be finished before another less remote future event will start.*

Avoir *verbs*	***Reflexive verbs***
j'**aurai porté**	je me **serai levé(e)**
tu **auras jeté**	tu te **seras levé(e)** etc.
il **aura donné**	
nous **aurons fini**	Être *verbs*
vous **aurez répondu**	je **serai allé(e)**
ils **auront vendu**	tu **seras venu(e)** etc.

A

Put* «Elle téléphonera après que (qu')» *in front of each of these clauses. The second verb will be in the future perfect.

1) . . . on a fini de parler.
2) . . . j'ai quitté la cabine.
3) . . . tu as trouvé le numéro dans l'Annuaire.
4) . . . nous avons décidé de quoi faire.
5) . . . Pierre et toi, vous avez expliqué l'affaire.
6) . . . ses parents ont quitté l'appartement.

B

Put* «Nous parlerons quand» *in front of each of these clauses. The second verb will be in the future perfect.

1) . . . les enfants sont retournés à l'école.
2) . . . ton frère cadet est monté à sa chambre.
3) . . . Marie est sortie.
4) . . . nous sommes arrivés sains et saufs.
5) . . . vous êtes rentrée.
6) . . . je suis revenu de Marseille.

C

Put* «On se mettra en route dès que (qu')» *in front of each of these clauses. The second verb will be in the future perfect.

1) . . . tu t'es reposée.
2) . . . ils se sont levés.
3) . . . je me suis plaint au patron du restaurant.
4) . . . grand-maman s'est réveillée.
5) . . . vous vous êtes baignée.
6) . . . nous nous sommes installés à nos places.

D

1) *As soon as you have repaired your scooter, we shall start off.*
2) *As soon as the baby has gone to sleep, I'll switch on the television.*
3) *When you have got dressed, I'll show you the letter.*
4) *When you have had lunch, we shall go to the library.*
5) *After he has gone upstairs, we'll open the bottle.*
6) *After your parents have gone away, you'll be able to go out every evening.*

---

30 *CONDITIONAL*

To form this tense we take the **future stem** *and add the* **imperfect endings.**

The two main uses are:

1) *To express what somebody said they would do. (See A and C.)*

2) *To express what would happen, after a clause beginning with* **si** *and a verb in the* **imperfect.** *(See B and D.)*

Endings			
je	**—ais**	**nous**	**—ions**
tu	**—ais**	**vous**	**—iez**
il	**—ait**	**ils**	**—aient**

Regular	***Irregular***
je **porter**ais	je **ser**ais
je **finir**ais	j'**aur**ais
je **vendr**ais	je **saur**ais
——	je **fer**ais
j'**appeller**ais	j'**ir**ais
je **mèner**ais	je **viendr**ais
——	il **faudr**ait
j'**essuier**ais	etc

A

Put* «Chantal m'a dit que (qu')» *in front of each of these sentences. The second verb will be in the conditional.

1) Elles étudieront la biologie.
2) Personne ne rentrera après minuit.
3) Ils ne lui pardonneront jamais.
4) Elle nous emmènera au théâtre.
5) Tu m'offriras un poste.

B

Put* «Si c'était samedi» *in front of these sentences. The second verb will be in the conditional.

1) Nous allons en ville.
2) Ils boivent un verre de vin blanc.
3) Il faut nous dépêcher.
4) On peut toujours s'arranger.
5) Tu es à Londres.

C

1) *I wrote that we should see them at Xmas.*
2) *She said she would not be late.*
3) *I explained that my brother would be going in my place.*
4) *I hoped that you would come after all.*

D

Put* 'If it was fine' *in front of each of these sentences. The second verb will be in the conditional.

1) *We should play tennis.*
2) *The stadium would not be empty.*
3) *I should not be wearing my mac.*
4) *They would be going out this afternoon.*

31 *PERFECT*

To form this tense, we put the **present** *of* **avoir** *or* **être** *in front of the* **past participle.**

Avoir *verbs*	*Reflexive verbs*	Être *verbs*
-ER		
j'ai **trouvé**	je **me suis sauvé**(e)	je **suis allé**(e)
tu **as trouvé**	tu **t'es sauvé**(e)	tu **es allé**(e)
il **a trouvé**	il **s'est sauvé**	il **est allé**
nous **avons trouvé**	elle **s'est sauvée**	elle **est allée**
vous **avez trouvé**	nous **nous sommes sauvé**(e)**s**	nous **sommes allé**(e)**s**
ils **ont trouvé**	vous **vous êtes sauvé**(e)(s)	vous **êtes allé**(e)(s)
	ils **se sont sauvés**	ils **sont allés**
	elles **se sont sauvées**	elles **sont allées**
-IR	*All reflexive verbs*	*And:*
j'ai **choisi**	*are like this in the perfect*	**venir** *and compounds*
		arriver; partir
		monter; descendre
		naître; mourir
		entrer; sortir
-RE		**tomber; retourner**
j'ai **rendu**		**rester; rentrer**

A Elle vient de garer son auto.
Elle a garé son auto.

1) Il vient de dîner en ville.
2) Nous venons de laver les murs du salon.
3) Je viens d'écouter un concert de jazz.
4) Vous venez d'emporter ma valise.
5) Tu viens de téléphoner à ta tante.

B Je viens d'atterrir à Orly.
J'ai atterri à Orly.

1) On vient de démolir ma vieille maison.
2) Tu viens de finir les hors-d'œuvre.
3) Les juges viennent de punir les voleurs.
4) Nous venons de réussir au bachot.
5) Je viens de remplir nos verres.

C Je viens de descendre l'escalier.
J'ai descendu l'escalier.

1) Ce chien vient de mordre notre bébé.
2) Vous venez de perdre votre place.
3) Tu viens de vendre la peau de l'ours.
4) Ils viennent de tendre la main à leur ami.
5) Je viens d'entendre une pièce de Molière à la radio.

D

Replace* «Aujourd'hui» *by* «Hier», *and put the verb in the perfect tense.

1) Aujourd'hui, nous nous en allons sur la Côte d'Azur.
2) Aujourd'hui, elle s'arrange pour finir avant 16 heures.
3) Aujourd'hui, je me couche de bonne heure.
4) Aujourd'hui, elles se servent du magnétophone.
5) Aujourd'hui, vous vous portez comme un charme.
6) Aujourd'hui, ils se baignent dans la Manche.

E

Replace* «Aujourd'hui» *by* «Hier», *and put the verb into the perfect tense.

1) Aujourd'hui, elles retournent en Angleterre.
2) Aujourd'hui, papa et moi, nous descendons jusqu'à Avignon.
3) Aujourd'hui, ton frère et toi, vous allez en vélo jusqu'à Sceaux.
4) Aujourd'hui, tu montes au sommet.
5) Aujourd'hui, ma famille arrive à 10 heures.
6) Aujourd'hui, je pars avant mon père.

32 *USING THE PERFECT*

The perfect is used:

1) *If we know when something began to happen.* (*See A.*)

2) *If we know when something ended.* (*See B.*)

3) *If we know how long something lasted.* (*See C.*)

4) *If we know exactly how many times something happened.* (*See D.*)

5) *If we know that one thing began after another had ended.* (*See E.*)

A

1) *He was born in March.*
2) *At the age of five years, I learnt to play the violin.*
3) *It started to rain.*
4) *The match commenced at three o'clock.*
5) *I opened the tin of peas.*
6) *We came here in 1968.*

B

1) *I left the house an hour later.*
2) *He shut all the drawers.*
3) *He said good-bye to his parents.*
4) *She died in Italy.*
5) *He fell asleep.*
6) *He finally came out of the room.*

C

1) *He spent three hours in the museum.*
2) *She worked all the afternoon.*
3) *I took* (mettre) *three days to get there.*
4) *She lived for fifty years.*
5) *We read the paper in* (en) *twenty minutes.*
6) *They spent eight days in Paris.*

D

1) *He knocked on the door twice.*
2) *She came here once.*
3) *They phoned at 10 and at 11 o'clock.*
4) *I wrote six letters that day.*
5) *We waited for the bus.*
6) *Last Tuesday, M. Deschamps smoked twenty cigarettes.*

E

1) *I washed, I got dressed and I came downstairs.*
2) *You got up, you opened the window and you sat down again.*
3) *He had breakfast, put on his coat and went out.*
4) *My brothers left school, went to the university and began to earn 2 000 francs per month.*
5) *My wife went to the station, bought* (prendre) *her ticket and entered the enquiry office.*
6) *The postman came up the stairs, rang at the door and gave me this parcel.*

33 *IMPERFECT*

To form this tense we add the **endings** *to the* **stem**.
The **endings** *are shown below.*
The imperfect **stem** *is taken from the* **nous** *form of the* **present** *minus the* **-ons**.
The only irregular imperfect is **j'étais** *from* **être**.

-ER	**-CER**	**-GER**
je **parl**ais	je **lanç**ais	je **mange**ais
tu **parl**ais	tu **lanç**ais	tu **mange**ais
il **parl**ait	il **lanç**ait	il **mange**ait
nous **parl**ions	nous **lanc**ions	nous **mang**ions
vous **parl**iez	vous **lanc**iez	vous **mang**iez
ils **parl**aient	ils **lanç**aient	ils **mange**aient

-IR	**-RE**	**ÊTRE**
je **finiss**ais	je **vend**ais	**j'étais**
tu **finiss**ais	tu **vend**ais	tu **étais**
il **finiss**ait	il **vend**ait	il **était**
nous **finiss**ions	nous **vend**ions	nous **étions**
vous **finiss**iez	vous **vend**iez	vous **étiez**
ils **finiss**aient	ils **vend**aient	ils **étaient**

A

Put into the imperfect tense.

1) Chaque jour je me lève de bonne heure.
2) Trois fois par semaine il mange des toasts.
3) Chaque hiver ils lancent des boules de neige.
4) Tous les matins vous rangez votre chambre.
5) Les avions atterrissent toutes les cinq minutes.
6) Je rougis toujours devant le proviseur.
7) Tu descends le vin à la cave chaque année.
8) Nous nous rendons assez souvent à Bordeaux.

B

Put* «Quelquefois» *at the beginning of each sentence and change the verb to the imperfect tense.

1) Tu viens en Angleterre.
2) Les agents suivent les voleurs.
3) Elles reçoivent des mandats.
4) Ta cousine ne peut pas sortir seule.
5) Je fais des excursions à pied.
6) Nous prenons le car de midi.
7) Maman ne me croit pas.
8) Vous êtes furieux contre moi.

34 *USING THE IMPERFECT*

We use the imperfect to describe:

1) *What people or things looked like* (*See A.*)
2) *What usually happened.* (*See B.*)
3) *What was unfinished at that time.* (*See C.*)

A

1) *The sky was grey.*
2) *He had long legs.*
3) *His aunt was very rich.*
4) *It was a very big house.*
5) *Jacques was seven years old.*
6) *The room was four metres wide.*
7) *The cinema was full.*
8) *It was 10 p.m.*

B

1) *I used to go to bed at 11 o'clock.*
2) *Usually, he took the train.*
3) *They often had* (= prendre) *a cup of coffee after dinner.*
4) *I shaved every morning.*
5) *She would sleep until 9 a.m.*
6) *Usually, they would give a tip to the waiter.*
7) *The boys would come home at five o'clock.*
8) *He would always ask* (= poser) *the same questions.*

C

1) *The window was open.*
2) *The house was* (= se trouver) *in Paris.*
3) *She seemed content.*
4) *He was waiting for the bus.*
5) *They were eating ice creams.*
6) *The birds were singing.*
7) *It was still hot at 10 p.m.*
8) *My watch was ten minutes fast.*

35 *PLUPERFECT TENSE*

To form this tense, we put the ***imperfect*** *of* **avoir** *or* **être** *in front of the* ***past participle.***
It is used to describe an event that happened before another more recent past event.

Avoir ***verbs***

j'**avais donné**
tu **avais donné**
il **avait donné**
elle **avait donné**
nous **avions donné**
vous **aviez donné**
ils **avaient donné**
elles **avaient donné**

Reflexive verbs

je m'**étais lavé(e)**
tu t'**étais lavé(e)**
il s'**était lavé**
elle s'**était lavée**
nous nous **étions lavé(e)s**
vous vous **étiez lavé(e)(s)**
ils s'**étaient lavés**
elles s'**étaient lavées**

Être ***verbs***

j'**étais sorti(e)**	nous **étions sorti(e)s**
tu **étais sorti(e)**	vous **étiez sorti(e)(s)**
il **était sorti**	ils **étaient sortis**
elle **était sortie**	elles **étaient sorties**

A

Put* «Trois mois avant» *in front of each sentence. The verb will be in the pluperfect tense.

1) J'ai dépensé plus de mille francs.
2) Tu as dû quitter l'école.
3) Elle a traversé l'Atlantique.
4) Nous avons passé le même film.
5) Vous avez perdu votre mère.
6) Ils ont préparé leur bachot.

B

Put* «Je me suis rappelé le jour où» *in front of each sentence. The second verb will be in the pluperfect tense.

1) Je me suis trouvé sans argent à Paris.
2) Tu t'es cassé la jambe.
3) Elle s'est fait mal au bras.
4) Nous nous sommes rencontrés rue de Rivoli.
5) Vous vous êtes mariés.
6) Elles se sont mises à boire.

C

Put* «L'année précédente» *in front of each sentence. The verb will be in the pluperfect tense.

1) Je suis tombé d'un sapin.
2) Tu es allé aux États-Unis.
3) Elle est partie seule en vacances.
4) Nous sommes venus ici.
5) Vous êtes restés à l'étranger.
6) Leurs enfants sont morts en Provence.

D

1) *When he had left school, his parents sent him abroad.*
2) *As I had lost my wallet, the policeman lent me some money.*
3) *The meal that we had prepared was delicious.*
4) *I was sad because you had punished me.*
5) *Two months before, they had crossed the Channel by plane.*
6) *When we had spent all our money, we came home.*

E

1) *I said that you had got up before me.*
2) *The doctor asked how she had broken her arm.*
3) *She discovered that her husband had already been married twice.*
4) *I explained to the headmaster why the boys had been fighting.*
5) *He thought that I hadn't hurt myself.*
6) *I added that we had begun to learn German.*

F

1) *The year before, I had gone to see Doctor* (= le docteur) *Martin.*
2) *They returned to the town where they had been born.*
3) *I saw the place where the tree had fallen on the roof.*
4) *As soon as she had gone out of the room, I used to switch off* (= fermer) *the transistor* (= le transistor).
5) *Three weeks before, my grandfather had died in Toulouse.*
6) *The plane had left ten minutes earlier.*

36 DEPUIS *CONSTRUCTION*

This is used to say how long you have or had been doing something for.

*'I have, he has been doing something for . . .' = the **present tense** followed by* **depuis**.

*'I had been doing something for . . .' = the **imperfect tense** followed by* **depuis**.

Depuis combien d'années **fumes-tu?**
Je fume depuis l'âge de 16 ans.

Depuis quand **attendiez-vous** là ?
J'attendais là **depuis** 20 minutes.

A

Répondez:

1) Depuis quand parlez-vous français ?
2) Depuis quand êtes-vous élève ici ?
3) Depuis quand votre famille habite-t-elle sa maison actuelle ?
4) Depuis quand vos parents sont-ils mariés ?
5) Depuis quand avez-vous la télé ?
6) Depuis quand votre professeur vous enseigne-t-il le français ?
7) Depuis quand savez-vous nager ?
8) Depuis quand votre père a-t-il son poste actuel ?

B

Répondez:

L'année passée. . . . .

1) Depuis combien d'années parliez-vous français ?
2) Depuis combien d'années étiez-vous élève ici ?
3) Depuis combien d'années votre famille habitait-elle sa maison actuelle ?
4) Depuis combien d'années vos parents étaient-ils mariés ?
5) Depuis combien d'années aviez-vous la télévision ?
6) Depuis combien d'années votre professeur vous enseignait-il le français ?
7) Depuis quand saviez-vous nager ?
8) Depuis quand votre père avait-il son poste actuel ?

C

1) *How long has he been watching the television?*
2) *They* (Elles) *have been learning to drive for three years.*
3) *She has been a nurse* (= infirmière) *for six months.*
4) *We have been talking English for five minutes.*
5) *You have been sleeping for a quarter of an hour.*
6) *I have been horse-riding for two years.*

D

1) *How long had she been looking for us?*
2) *They had been waiting on the platform for twenty minutes.*
3) *Mother had been married for ten years.*
4) *I had been swimming for half an hour.*
5) *You had been living there for five years.*
6) *We had been talking for two minutes only.*

PRESENT PARTICIPLE

37 *This participle is formed by adding* **-ant** *to the same* **stem** *used in the* ***imperfect*** *tense i.e. the* **nous** *form of the* ***present*** *tense, minus the* **-ons.**

When you use the present participle, you must make certain that it refers to the person who is the subject of the rest of the sentence.

-ER	-RE
portant	**vend**ant
lançant	
mangeant	
	Irregulars
	avoir—**ayant**
-IR	être—**étant**
finissant	savoir—**sachant**

A Comme j'avais très froid, j'ai mis un second pull.
Ayant très froid, j'ai mis un second pull.

1) Comme j'étais très occupé jeudi, je n'ai pas pris de déjeuner.
2) Comme je voyais qu'il ne savait pas nager, j'ai plongé dans la rivière.
3) Comme je pensais que tout allait bien, je n'ai pas fait attention aux cris des deux hommes.
4) Comme elle savait que c'était lundi, elle n'est pas allée au Printemps.
5) Comme nous espérions qu'il ferait beau, nous n'avons pas pris d'imperméable.
6) Comme ils entendaient ma voix, ils savaient que j'étais sain et sauf.

38 EN + *PRESENT PARTICIPLE*

This means one of four things:

1) ***in*** *doing something*
2) ***on*** *doing something*
3) ***while*** *doing something*
4) ***by*** *doing something*

A Téléphone-moi quand tu arriveras là-bas.
Téléphone-moi en arrivant là-bas.

1) On peut y être en cinq minutes si on court très vite.
2) Elles ont poussé des cris aigus aussitôt qu'elles ont vu Antoine.
3) J'ai reconnu un vieil ami pendant que je regardais la télévision.
4) Tu deviendras riche si tu travailles dans la publicité.
5) Elle a entendu un drôle de bruit au moment où elle a composé mon numéro de téléphone.
6) Vous m'avez remercié pendant que vous sortiez de l'ascenseur.

B

1) *By putting on my spectacles, I can read the title of that book.*
2) *On seeing his cat, he shouted 'Miquet!'*
3) *While waiting for his train, he spoke to the ticket inspector.*
4) *By learning to drive a car, I shall be able to visit my parents every weekend.*
5) *On opening* «Le Figaro», *he saw his own photo.*
6) *In opening a tin of jam, she cut her finger.*

39 *The use of* **en** + *the present participle is particularly common after a verb of saying, as shown below.*

«Attention!» a-t-il dit { **en ouvrant la porte.** / **en pleurant.** / **en riant.** / **en souriant.** }

A

1) *'It's B.B.!' shouted Guillaume, waving his arms.*
2) *'I'm ready,' said she, coming down the stairs.*
3) *'Thanks,' said the thieves, on taking the money.*
4) *'I love you,' said she, blushing.*
5) *'Courage,' said I to myself, on diving into the swimming pool.*
6) *'Ici, Martin,' said Dad, replying to the phone.*

40 *Note this use of the* **en** + *present participle after verbs of motion to express rate or speed.*

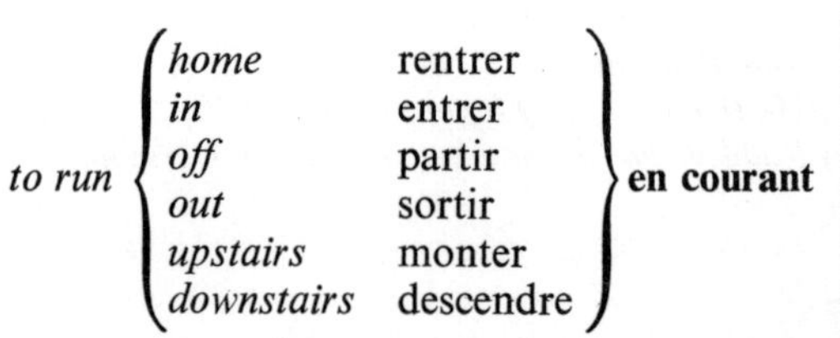

to run	*home*	rentrer	**en courant**
	in	entrer	
	off	partir	
	out	sortir	
	upstairs	monter	
	downstairs	descendre	

A

1) *We ran off.*
2) *They ran home.*
3) *Jeanne ran out of the room.*
4) *The man ran into the police station.*
5) *I ran downstairs.*
6) *The dogs ran upstairs.*

VITAL VERBS

41 AVOIR

avoir **raison** avoir **tort**

avoir **faim** avoir **soif**

avoir **chaud** avoir **froid**

avoir **besoin de**

avoir **peur de**

avoir **soin de**

avoir **mal à**

avoir **l'air**

avoir **lieu**

avoir **sommeil**

avoir **x ans**

A

1) *You're wrong, as usual.*
2) *I'm always right, aren't I, boys* (= mes élèves)*?*
3) *At the end of the journey, everybody was sleepy.*
4) *In 1968, I was thirteen years old.*
5) *You look pale, Jacques!*
6) *I have a headache.*
7) *Are you hungry?*
8) *No, but I'm thirsty.*
9) *I'm cold but she's hot.*
10) *Be careful of your new dress.*
11) *They need something to drink.*
12) *Are you afraid of ghosts?*

42 ÊTRE

When we are talking about someone's ***job*** *or* ***nationality****, there is* ***no*** *word between the verb and the name of the profession or nationality.*

Elle **est Anglaise.**

Je **suis étudiant.**

Nous **sommes facteurs.**

A

1) *I am a postman.*
2) *They are teachers.*
3) *We are students.*
4) *You are French.*
5) *She is a doctor.*

43

These adjectives are often used with **être.** *They are followed by* **de** *and an* ***infinitive****.*

Je **suis ravi d'accepter** l'invitation.

Elle ne **sera** pas **contente de** te **voir** ici.

Tout le monde **a été désolé de** la **voir** tomber.

A

1) *I'm pleased to see you.*
2) *He wasn't pleased to be there.*
3) *I am so sorry to be leaving now.*
4) *She was delighted to receive your present.*
5) *We were so sorry to hear your news.*

44

In the same way, we need **de** *and an* ***infinitive*** *after* «**Il est**» + *an adjective.*

Il est { **possible** / **impossible** / **facile** / **difficile** / **nécessaire** } **de faire** quelque chose.

A

1) *It was impossible to get in the stadium.*
2) *It was possible to park near the cathedral.*
3) *It will be easy to find another hôtel.*
4) *It will be difficult to be there on time.*
5) *It has been necessary to take* (= transporter) *her to hospital.*

45

Il est *and an adjective can also be followed by* **que** *and a* ***subject*** *and* ***full verb.***

Il est { **certain** / **évident** } **que le temps va** se gâter.

A

1) *It is certain that she is dead.*
2) *It is clear they could not come.*
3) *It was obvious that she was wrong.*
4) *It is certain that the match will not take place.*

46 FAIRE

faire **les achats**	faire **les lits**
faire **la cuisine**	faire **la vaisselle**
faire **une excursion**	faire **une promenade**
faire **une faute**	faire **un séjour**

faire **du camping**
faire **ses études**
faire **fortune**

A

1) *I don't like doing the shopping.*
2) *I like camping.*
3) *He can* (= sait) *cook.*
4) *Molière studied at the Collège de Clermont.*
5) *We went on an excursion yesterday.*
6) *You haven't made any mistakes.*
7) *Here is my uncle who made his fortune in the United States.*
8) *Let's make the beds.*
9) *Dad always does the washing up.*
10) *Tomorrow they will go for a walk.*

47 *TO GET SOMETHING DONE*

Here we use **faire** *followed by an* ***infinitive.*** ***No*** *preposition is needed.*

Je **fais réparer** ma montre.

Il nous **fait sortir.**

A

1) *I have had my car washed.*
2) *You have had your house repainted.*
3) *We are having the windows cleaned.*
4) *His news made me laugh.*
5) *Their parents make them come home before ten o'clock.*
6) *Our French teacher tries to make us work hard.*

48 DEVOIR

je dois	*I owe*	*I must*	*I have to*	*I am to*	
je devrai	*I shall owe*		*I shall have to*		
je devrais	*I should owe*		*I should have to*		*I ought to*
j'aurais dû	*I should have owed*		*I should have had to*		*I ought to have*
je devais	*I was owing*		*I had to (= I used to have to)*	*I was to*	
j'ai dû	*I have owed*	*I must have*	*I have had to; I had to (once, twice, etc.)*		
j'avais dû	*I had owed*		*I had had to*		

A

1) *You had to get up early this morning.*
2) *She must have lost her cat.*
3) *I had to get up before six o'clock every morning.*
4) *We ought to work harder.*
5) *He ought to have learnt that at school.*
6) *It must be three o'clock.*
7) *The boys are to leave at once.*
8) *My father was to come home yesterday.*
9) *I owe six francs to the butcher.*
10) *There must be a hôtel near here.*
11) *I have to go now.*
12) *Jean had had to go out an hour earlier.*
13) *You would have to ask your parents' permission.*
14) *Michèle will have to buy some new nylons.*
15) *She would have had to go to bed after midnight.*

49 POUVOIR

je peux	*I may*	*I can*	*I am able to*
Puis-je?	*May I?*	*Can I?*	
je pourrai			*I shall be able to*
je pourrais	*I might*	*I could* (= *I might*)	*I should (might) be able to*
j'aurais pu	*I might have*	*I could have* (= *I might have*)	*I should (might) have been able to*
je pouvais		*I could* (*x times*)	*I was able to* (= *I used to be able to*)
j'ai pu	*I may have*	*I could* (1, 2, 3 *times*)	*I have been able to; I was able to* (= *I managed to*)
j'avais pu			*I had been able to*

A

1) *Mum might know that lady there.*
2) *May I see you this evening, Mademoiselle?*
3) *I wasn't able to leave them last night.*
4) *I was able to go out every evening.*
5) *I couldn't go to London last Thursday.*
6) *He could never remember his wife's birthday.*
7) *Can I have a piece of cake?*
8) *It may rain.*
9) *Can you help some old* (= vieilles) *people?*
10) *All I can say is this. . . . .*
11) *She has not been able to find another job.*
12) *We are not able to come on Saturday.*
13) *You might have told us the reason.*
14) *I shall be able to visit France next year.*
15) *My friends would have been able to help you.*
16) *He may have been absent.*
17) *They haven't been able to help us.*
18) *The police would be able to help us.*
19) *I could have hit him.*
20) *It could rain later.*

50 *HAS JUST, HAVE JUST, HAD JUST DONE SOMETHING*

To express this, we use two tenses of **venir** *followed by* **de** *and an* ***infinitive.***

If the English is ***has just,*** *or* ***have just,*** *we use the* ***present*** *of* **venir.**

If the English is ***had just,*** *we use the* ***imperfect*** *of* **venir.**

Tu viens d'arriver = *You* ***have*** *just arrived.*

Tu venais d'arriver = *You* ***had*** *just arrived.*

A

1) *We have just heard the latest news* (= informations).
2) *They had just had a son.*
3) *They have just had lunch.*
4) *I had just come in.*
5) *We had just got married.*
6) *You have just missed the coach.*

51 VOULOIR

je veux	*I will (= insist)*	*I want*		
je veux bien				*I don't mind*
Voulez-vous?	*Will you?*	*Do you want?*		
Voulez-vous bien?				*Do you mind?*
je voudrai		*I shall want*		
je voudrais		*I should want*	*I should like*	
je voudrais bien			*I should very much like*	
Voudriez-vous?	*Would you please?*			
j'aurais voulu		*I should have wanted*	*I should have liked*	
je voulais	*I would (= insisted)*	*I wanted (= used to want)*		
je voulais bien				*I didn't mind*
j'ai voulu		*I wanted (=* 1, 2, 3 *times); I have wanted*		
j'avais voulu		*I had wanted*		

A

1) *I will succeed.*
2) *He will talk all the time.*
3) *Will you be quiet!*
4) *Would you please be quiet!*
5) *I'd like two kilos of potatoes.*
6) *I should like very much to meet your sister.*
7) *I had tried to become a doctor.*
8) *She had always wanted a little dog.*
9) *Do you want more* (= encore de) *soup?*
10) *I tried to get in. In vain!*
11) *They always wanted to watch the telly.*
12) *She doesn't mind doing the washing.*
13) *He didn't mind lending me his bike.*
14) *We should very much have liked to see that play.*
15) *You would have liked to stay another* (= encore un) *month.*
16) *My brother would have wanted to come, too.*
17) *They* (= On) *would want to know your age.*
18) *I shall want to see you at the end of the week.*
19) *I have always wanted to ride a horse.*
20) *Every winter he wanted to go to Provence.*

PAST PARTICIPLE AGREEMENT

52 *There are only* ***two*** *types of agreement:*
1) *If the verb is an* **être** *verb* (*see* 31), *the past participle agrees with the* ***subject****. In other words, it behaves just like an* ***adjective****.*
2) *If the verb is an* **avoir** *verb or a* ***reflexive*** *verb, its past participle will only change to agree with a preceding* ***direct object****.*

53 *PRECEDING DIRECT OBJECT 1*

There are only three ways in which a direct object can come in front of the verb. The first is when **combien de**, *or some form of* **quel** *is used in a question.*

Combien de cerises ont-ils **comptées?**

Quelle maison a-t-elle **louée?**

Quels tricots avez-vous **choisis?**

A

Find the questions (beginning with **«quel, quelle, etc»** or **«combien de»**) ***that could have produced these answers.***

1) Elles ont acheté la maison blanche.
2) Ils ont ouvert les fenêtres du salon.
3) J'ai rentré trois vélos au garage.
4) Il a répété six questions.
5) On a réparé la moto de Michel.
6) Nous avons revu deux de nos amis anglais.

B

1) *How many thieves have they arrested?*
2) *How much meat did you buy?*
3) *Which stamps did you receive from Italy?*
4) *What socks did your wife knit?*
5) *What wines have you ordered?*
6) *How many fish did you catch, really?*

54 *PRECEDING DIRECT OBJECT 2*

There is ***always*** *past participle agreement after* **que** (**qu'**).

Elle aime les fromages **que** j'ai **achetés**.

Voici la chambre **que** nous avons **repeinte**.

Regardez les chaussettes **que** maman a **tricotées**.

A

Complétez:
1) «Ont-ils loué une villa ou un appartement?» «C'est une villa. . . . .
2) «Avez-vous choisi les pommes ou les poires?» «Ce sont les pommes. . . . .
3) «As-tu pris ta voiture ou le métro?» «C'est ma voiture. . . . .
4) «A-t-il acheté une bicyclette?» «Oui, voilà la bicyclette. . . . .
5) «Ce chien a-t-il mordu des enfants?» «Oui, voilà les enfants. . . . .
6) «Tu as lu des romans policiers?» «Oui, voilà les romans policiers. . . . .

B

1) *I am wearing the shirt that my wife made.*
2) *Here are the novels that I chose.*
3) *These are* (= Voici) *the apples that he has stolen.*
4) *It's the green car that I have hired.*
5) *I am occupying the rooms which you painted.*
6) *Those are* (= Voilà) *the shoes that they* (= on) *have repaired.*

55 *PRECEDING DIRECT OBJECT 3*

1) *There is **always** past participle agreement after* **le, la, l'** (*which stands for either* **le** *or* **la**) *and* **les** (*masculine or feminine plural*).
2) *With* **me (m'), te (t'), se (s'), nous** *and* **vous**, *there is agreement **only** if they are direct. There is **never** agreement if they are indirect i.e. to me, for me, etc.*
3) *All reflexive verbs come under this heading.*
Note there is no agreement in: Elle s'est cassé la jambe, *because the* **s'** *means **to herself**.* 'Jambe' *is the direct object.*

Tante Marie a-t-elle remarqué { la fenêtre cassée? / mes bas de nylon? / tes fautes?

Oui, elle { **l'**a **remarquée.** / **les** a **remarqués.** / **les** a **remarquées.**

Direct	***Indirect***
On **m'**a **accueilli(e)**.	On m'a donné des bonbons.
On **t'**a **puni(e)**.	On t'a offert un cadeau.
Elle **s'**est **lavée**	Elle s'est lavé les mains.
On **nous** a **chassé(e)s.**	On nous a montré le chemin.
On **vous** a **félicité(e)(s)**.	On vous a demandé l'heure.
Ils **se** sont **réveillés.**	Ils se sont écrit des lettres.
Elles **se** sont **vues.**	Elles se sont offert des bas.

A «As-tu averti le curé et le médecin?»
«Oui, je les ai avertis.»

Complétez:
1) «A-t-il suivi la piste jusqu'au bout?» «Oui, il. . . . .
2) «A-t-elle rangé ses vêtements?» «Oui, elle. . . . .
3) «A-t-on puni nos enfants à nous?» «Oui, on . . . . .
4) «T'a-t-elle emmenée au cinéma, Jeanne?» «Oui, elle. . . . .
5) «Tu n'as pas oublié tes affaires?» «Mais si, je. . . . .
6) «Vous a-t-on attendues à la gare, mes filles?» «Oui, maman, on. . . . .
7) «Nous a-t-on vus au cinéma, papa?» «Oui, mes fils, on. . . . .
8) «M'as-tu appelée, maman?» «Oui, fifi, je. . . . .

B ***Put these sentences into the perfect tense.***
1) Elle se couche avant nous.
2) Vous vous excusez un peu trop, Madame.
3) Nous nous débrouillons, mon ami et moi.
4) Le charbonnier se dépêche de décharger son camion.
5) Vous vous battez trop souvent, mes fils.
6) Elles se baignent dans la mer.
7) Tu te brûles, mon petit chéri!
8) Tu t'amuses à Houlgate, Simone?
9) «Je me trompe de route», a dit le scout.
10) «Je m'ennuie à Londres», a répondu sa sœur.

C
1) *Jean and Pierre, we have warned you already.*
2) *Her dresses? I put them in the wardrobe.*
3) *The cream? We left it on the counter.*
4) *I hid her in the cellar.*
5) *The headmaster punished us severely.*
6) *Hello, Anne and Marie. I saw you at the supermarket.*

D
1) *She was not bored in England.*
2) *We mistook the date, my brother and I.*
3) *Dad hurried to open the front door.*
4) *We washed with the other girls.*
5) *Jacques and you, you bathed in the Channel.*
6) *Jeanne and her sister went to bed late.*
7) *The brothers apologised at once.*
8) *You woke up too early, Mademoiselle.*

INFINITIVE CONSTRUCTIONS

56 *AFTER DOING SOMETHING*

For **avoir** *verbs, take* **après avoir** *and add the verb's* ***past participle.***
When you are using **après avoir**, *make certain that the person you are talking about is the* ***subject*** *of the main clause of the sentence, as well.*

> **Après avoir vu** le film, nous sommes rentrés à minuit.

A Quand nous avions vu le film, nous sommes rentrés à minuit.
Après avoir vu le film, nous sommes rentrés à minuit.

1) Quand elle avait nettoyé l'appartement, elle est sortie faire les achats.
2) Quand j'avais nagé pendant une demi-heure, je suis sorti de l'eau.
3) Quand nous avions dîné en ville, nous sommes allés au théâtre.
4) Quand ils avaient discuté le prix des poires, ils les ont achetées.
5) Quand vous aviez dépensé toutes vos économies, vous avez dû rentrer.
6) Quand tu avais écrit les lettres, tu es sorti les mettre à la poste.

B

1) *After buying the fruit, we went into the station.*
2) *After posting the letters, I crossed the rue Houdan.*
3) *After cleaning the windows, she prepared lunch.*
4) *After finding the notes, we took* (= emporter) *them to the police station.*
5) *After doing the shopping, I came home by bus.*
6) *After writing two or three French books, he became very rich.*

57 *BEFORE DOING SOMETHING*

For all verbs, put **avant de** *in front of the* ***ordinary infinitive.***
With ***reflexive*** *verbs, be careful about choosing the right reflexive pronoun* (**me, te, se, nous** *or* **vous**) *in front of the infinitive.*

> **Avant de mettre** mes gants, j'ai dû aller les chercher en haut.
>
> **Avant de me coucher, je** bois toujours un verre de lait chaud.

A a) Je suis sorti.
b) J'ai fermé toutes les fenêtres.
Avant de sortir, j'ai fermé toutes les fenêtres.

1) a) Nous nous sommes mis à table.
b) Nous nous sommes lavé les mains.
2) a) Tu es descendue de la voiture.
b) Tu t'es penchée par la portière.
3) a) Je me suis mise à manger.
b) J'ai demandé une serviette.
4) a) Elle a passé l'aspirateur.
b) Madame Dupleix a fait les lits.
5) a) Vous avez éteint la lumière.
b) Vous avez allumé la télé.
6) a) Elles sont arrivées à la maison.
b) Les sœurs sont passées chez une amie.

B

1) *I washed my hair before going to bed.*
2) *He spent a week at his parents' before settling down in Paris.*
3) *You must finish your work before beginning to knit.*
4) *Before playing* (= passer) *the record, he looked at the sleeve.*
5) *Before doing the washing up, we smoked a cigarette.*
6) *I asked for the key before getting in the car.*

58 *IN ORDER TO DO SOMETHING*

For all verbs, put **pour** *in front of the* ***infinitive.***
Note the position of **ne . . . pas** *as shown below.*

> Pourquoi as-tu fait cela?
>
> **Pour** { **être** à l'heure. / **ne pas être** en retard. }

A Parce qu'elle voulait venir aussi vite que possible.
Pour venir aussi vite que possible.
Parce qu'elle ne voulait pas manquer le train.
Pour ne pas manquer le train.

1) Parce qu'elle voulait vendre sa maison de campagne.
2) Parce qu'elle voulait traverser les voies en sécurité.
3) Parce qu'elle voulait acheter un mandat.
4) Parce qu'elle voulait réussir à son examen.
5) Parce qu'elle ne voulait pas aller en prison.
6) Parce qu'elle ne voulait pas casser son verre.

B

1) *She bought a Jaguar in order to travel* (= se déplacer) *as quickly as possible.*
2) *I shut the tap so as not to have too much hot water.*
3) *In order to buy a postal order, one goes to the post office.*
4) *He crossed the street to speak to me.*
5) *They took the plane to go to Canada.*
6) *We got up before 7 a.m. so as not to be late.*

59 *WITHOUT DOING SOMETHING*

Use **sans** *followed by the infinitive. Again, pay great attention to choosing the right reflexive pronoun.*

Je suis entré **sans payer.**

Nous sommes descendus **sans nous dépêcher.**

A Il est sorti. Il ne m'a pas regardé.
Il est sorti sans me regarder.

1) Il est parti. Il ne leur a pas parlé.
2) Elle a traversé la route nationale. Elle n'a regardé ni à gauche ni à droite.
3) J'ai sauté. Je n'ai pas hésité.
4) Tu es tombée. Tu ne t'es pas fait mal.
5) Le train est entré dans le tunnel. Il n'a pas sifflé.
6) Elles sont sorties du restaurant. Elles ne m'ont pas donné de pourboire.

B

1) *I left without waiting.*
2) *We went downstairs without washing.*
3) *The pupils went out without saying au revoir.*
4) *I fell without hurting myself.*
5) *My son left school without listening to me.*
6) *You went for a walk without putting on your gloves.*

60 *VERBS FOLLOWED BY INFINITIVES*

Some verbs can be followed by another verb, which is **always** *in the* **infinitive.** *There are four possible constructions and we shall look at them separately.*

61 *VERBS NEEDING NO PREPOSITION*

These verbs are followed by an infinitive, with no preposition intervening.

aller—Il **va pleuvoir**

aller chercher—Nous **allons** les **chercher.**

courir—Tu **as couru** les **avertir**.

venir—**Viens** me **voir** demain!

entendre—Elle nous **entend crier.**

sentir—**J'ai senti battre** mon cœur.

voir—Ils **ont vu** l'avion **décoller**.

aimer—J'**aime jouer** au hockey sur glace.

espérer—Nous **espérons** te **voir** lundi.

penser—**Pensez-vous aller** en France?

oser—Comment! **tu oses** me **dire** ça!

préférer—Papa **préfère travailler** au jardin.

A

1) *Fetch the doctor.*
2) *My friend has come to help us.*
3) *I am going to see a film of Jean-Luc Godard.*
4) *They ran to see the rocket.*
5) *I heard the door shutting.*
6) *We felt the ground moving* (= bouger).
7) *I saw you come in.*
8) *We like eating sweets.*
9) *I hope to see you next week.*
10) *We intend to take the bus.*
11) *Do you dare say that?*
12) *Do you prefer eating at the restaurant?*

62 *VERBS NEEDING À BEFORE AN INFINITIVE*

aider—Il m'**a aidé à** me **lever**.

apprendre—Je leur **ai appris à faire** du ski.

avoir—Vous **avez** du travail **à faire**.

commencer—Tu **as commencé à faire** des progrès.

continuer—Ils **ont continué à marcher** tout droit.

être prêt—**Es-tu prêt à** nous **suivre?**

inviter—Nous les **inviterons à assister** au match.

passer son temps—Il **passait son temps à** ne rien **faire**.

réussir—Tu ne **réussiras** jamais **à** le **faire.**

A

1) *Mum used to help Dad to do the gardening.*
2) *My daughter has not yet learnt to wash up.*
3) *It began to snow.*
4) *Let's start work at once!*
5) *The ship was ready to leave.*
6) *They* (= On) *have invited me to go to Spain.*
7) *He used to spend his time painting pictures.*
8) *The cat succeeded in catching the mouse.*
9) *I have some shopping to do.*
10) *They went on smoking, unfortunately.*

63 *VERBS NEEDING* DE *BEFORE AN INFINITIVE*

cesser—Tiens, il **a cessé de neiger!**

décider—Jean **a décidé de** ne pas **venir**.

se dépêcher—**Dépêchez-vous de** vous **habiller!**

essayer—**Essayons d'**y **entrer!**

oublier—On **a oublié de** m'**inviter**.

persuader—Il nous **a persuadés de** l'**aider**.

refuser—Alors, elle **refuse d'obéir?**

regretter—Je **regrette de** te **dire** que . . . . .

A

1) *I decided to go after all.*
2) *Good Lord! It's stopped raining.*
3) *Don't try to persuade me!*
4) *Hurry up and get dressed, children* (= les enfants) *!*
5) *The policeman refused to help me.*
6) *I am sorry to inform you that. . . . .*
7) *You've forgotten to put on the light.*
8) *I persuaded my parents to take* (= emmener) *me abroad.*

64 *VERBS NEEDING* À *BEFORE A PERSONAL OBJECT AND* DE *BEFORE AN INFINITIVE*

This is a small but important group.
Note that the **à** *before the personal object is frequently merged into the indirect form of the pronoun, as shown below.*

défendre—On **leur a défendu de sortir**.

demander—**J'ai demandé à l'agent de m'aider**.

dire—**Dites-lui de se dépêcher!**

permettre—**J'ai permis aux enfants de regarder** la télévision jusqu'à 20 heures.

promettre—On **nous a promis de venir**.

A

1) *I told M. Dupont to telephone to his wife.*
2) *He forbade his brother to use my motor cycle.*
3) *Ask Pierre to come with us.*
4) *We let them go out alone.*
5) *Eugène promised Madame Vauquer to pay for the broken window.*

NEGATIVES AND ADVERBS

65 *POSITION OF NEGATIVES*

1) *In simple tenses:* Je **ne** viens **pas**; il **n'a** **plus** de . . .; je **n'**y vais **jamais**.

2) *In tenses containing the past participle:* Il **n'a** **pas** pu venir; elle **n'**était **jamais** partie.

3) *The* **que** *of* **ne . . . que** *and the* **personne** *of* **ne . . . personne** *always follow the past participle:*

Il **n'**a attrapé **que** deux poissons; je **n'**ai vu **personne**.

«As-tu des biscuits?»	«Non, je **n'**ai **pas de** biscuits.»	(*not any*)
«Y vas-tu le lundi?»	«Non, je **n'**y vais **jamais**.»	(*never*)
«Avez-vous encore des cigarettes?»	«Non, nous **n'**avons **plus de** cigarettes.»	(*no more*)
«As-tu trouvé quelque chose?»	«Non, je **n'**ai **rien** trouvé.»	(*nothing*)
«Il a dépensé au moins 100 francs?»	«Mais non, il **n'**a dépensé **que** 10 francs.»	(*only*)
«Y a-t-il quelqu'un là?»	«Non, **personne** **n'**est là.»	(*nobody*)
«A-t-elle vu quelqu'un?»	«Non, elle **n'**a vu **personne**.»	

A

Complétez:

1) «A-t-il une petite amie?» «Non, il. . . . .
2) «Voyez-vous des éléphants roses?» «Non, je. . . . .
3) «Vas-tu au cinéma de temps en temps?» «Non, je. . . . .
4) «Ont-ils encore de l'argent?» «Non, ils. . . . .
5) «Ils ont acheté plus de cinq kilos de sucre.» «Non, tu as tort, ils. . . . .
6) «Qu'est-ce qu'il y a dans ce pupitre-là?» «Monsieur, il. . . . .
7) «Qui as-tu vu dans les champs?» «Je. . . . .
8) «Qui est rentré à une heure du matin?» «. . . . .

B

1) *Unfortunately, we haven't any money.*
2) *I haven't ordered any vegetables.*
3) *I never keep his letters.*
4) *There's no more petrol in the tank* (= le réservoir).
5) *But we have only three tickets.*
6) *She said nothing to her parents.*
7) *There was nobody in the bus.*
8) *Nobody asked the driver to stop.*

66 *ADVERBS AND PHRASES*

AT FIRST — NEXT — AND THEN — FINALLY

d'abord — ensuite — et puis — enfin

EARLY, EARLIER

tôt — plus tôt

LATE, LATER

tard

plus tard

VERY NEAR, NEAR, QUITE NEAR

. tout près de — . près de — . assez près de

FAR FROM, VERY FAR FROM

loin . de — très . loin de

AGO

NAPOLÉON EST NÉ IL Y A 200 ANS.
IL EST MORT IL Y A 148 ANS.

A

1) *Here's the postman at last!*
2) *And then the telephone rang.*
3) *Next he went into (= à) the post office.*
4) *He arrived at the bus stop too late.*
5) *Come and see me later.*
6) *My parents go to bed early.*
7) *Alas, the train had left earlier.*
8) *We live just next to the school.*
9) *The supermarket is fairly near the centre of the town.*
10) *Calais is a very long way from Bordeaux.*
11) *I was born fifteen years ago.*
12) *The French say: Far from the eyes, far from the heart.*

PREPOSITIONS

67 A

DISTANCE
Lyon se trouve **à** 470 km de Paris.

SPEED
à 80 km **à** l'heure

IN, TO (MASCULINE) COUNTRIES AND TOWNS
au Canada
à Londres

LOCATION
à la campagne
au bord de la mer
au premier étage

METHOD OF TRANSPORT
(*usually non-motorised*)
à bicyclette, **à** cheval, **à** genoux, **à** pied

TIME
à l'heure (= *on time*)
à 17 heures environ (= *at about* 5 *p.m.*)

VERBS ALWAYS TAKING À
jouer **au** football (*with all sports*)
obéir **à** quelqu'un
penser **à** quelqu'un ou **à** quelque chose (*to think about*)
plaire **à** quelqu'un
ressembler **à** quelqu'un, ou **à** quelque chose
cacher, emprunter, prendre, voler quelque chose **à** quelqu'un (= *to hide, borrow, etc. something* ***from*** *someone*)

A

Répondez:
1) A quelle heure vous êtes-vous levé ce matin?
2) Êtes-vous arrivé en retard au lycée aujourd'hui?
3) Où se trouve la province de Québec?
4) Comment Richard Turpin est-il allé à York?
5) Est-il à vous, ce livre?
6) A quel étage se trouve votre salle de classe?
7) Dans quelle ville avez-vous passé vos vacances?
8) Est-ce que le jazz plaît à vos parents?
9) Quel est votre sport favori?
10) Ressemblez-vous à votre mère?
11) A qui un élève doit-il obéir?
12) Si quelqu'un vous prête quelque chose, que faites-vous?
13) Un voleur est un homme qui. . . . .
14) Quelle distance y a-t-il de Londres à la ville où vous habitez?
15) Un cheval peut courir. . . . .

68 DE

***ADJECTIVES TAKING* DE**
bordé **d'**arbres (*lined with*)
couvert **de** neige (*covered with*)
entouré **d'**un mur (*surrounded by*)
suivi **de** son chat (*followed by*)

AFTER ANY SUPERLATIVE

le plus grand hôtel { **de** Paris / **du** monde / **de la** France / **de** l'**Ile** de France / **des** pays occidentaux }

EXPRESSIONS OF QUANTITY
des centaines **de**, des milliers **de**
un kilo **de**, une bouteille **de**
un peu **de**, beaucoup **de**, trop **de**
assez **de**, plus **de**

FROM ALL COUNTRIES AND TOWNS
Je suis **de** Marseille.
Il arrive **d'**Allemagne.
Elle vient **du** Canada.

REPLACING THE APOSTROPHE 'S'

la voiture { **d'**Alain / **du** jeune homme / **de l'**étudiant / **de la** famille / **des** Dupont-Dupont }

***VERBS ALWAYS TAKING* DE**
s'approcher **de** (*to go up to*)
se servir **de** (*to make use of*)
se souvenir **de** (*to remember*)
jouer **du** violon (*to play the violin*)

A

Répondez:
1) De quel pays viennent les Allemands?
2) De quel pays viennent les Américains?
3) De quelle couleur sont vêtus les joueurs de cricket?
4) Quand est-ce que la terre est blanche en hiver?
5) Qui accompagnait toujours Sherlock Holmes?
6) Qu'est-ce qui entoure la Grande-Bretagne?
7) Qu'est-ce que c'est qu'un boulevard?
8) Pourquoi le Louvre est-il célèbre?
9) Pourquoi la cuisine française est-elle si célèbre?
10) Y a-t-il moins de 500 élèves dans votre lycée?
11) Que boivent les Anglais à 11 heures du matin?
12) Ce livre-ci est-il le livre du professeur?
13) De quoi est-ce qu'on se sert pour ouvrir une boîte de sardines?
14) Quand faut-il attacher les ceintures de sécurité dans un avion?
15) Êtes-vous amateur de musique?
16) Quelle est la date de l'anniversaire de votre grand-père?

69 EN

IN, TO (FEMININE) COUNTRIES
en Italie

MATERIALS
une maison **en** bois

METHODS OF TRANSPORT
(*usually motorised*)

en avion, **en** bus, **en** car, **en** voiture, **en** taxi

MISCELLANEOUS
en l'air
en route pour

TIME PHRASES
de jour **en** jour (*from day to day*)
en même temps
en automne, **en** été, **en** hiver (*but* **au** printemps)
en 1066
en avril
en 10 minutes (= *time taken*); **dans** 10 minutes (*in* 10 *minutes time*)

A

Complétez:

1) Sur la plage les enfants avaient construit des châteaux. . . . .
2) «Le voyez-vous souvent?» «Non, je ne le vois que. . . . .
3) Deux événements simultanés se passent. . . . .
4) Shakespeare écrivit ses pièces. . . . .
5) Je fête mon anniversaire. . . . .
6) La bataille de Waterloo eut lieu. . . . .
7) Pour aller à New York aussi rapidement que possible, il faut y aller. . . . .
8) Après le match les spectateurs ont lancé toutes sortes de choses. . . . .
9) Nous faisons nos devoirs. . . . .
10) Quand Duncan Edwards est mort, il était. . . . .
11) «Où va-t-elle passer ses vacances?» «Elle va à Venise. . . . .
12) Christophe Colomb alla le premier. . . . .

70 PAR

(CAUSED) BY
La fenêtre a été cassée **par** Louis.
Il a été tué **par** une balle. (= *by a bullet*)

MISCELLANEOUS
tomber **par** terre (= *to fall to the*)
par terre, **par** mer, **par** la poste
par cœur
par un bel après-midi d'été (= *on*)

PER . . . . .
une fois **par** semaine, une bouteille **par** jour

VERBS TAKING* PAR *AND AN INFINITIVE
Il a commencé **par** chanter.
Nous avons fini **par** sortir.

A

Complétez:

1) Cléopâtre fut mordue. . . . .
2) Les deux Kennedy ont été assassinés. . . . .
3) Nos lettres arrivent. . . . .
4) L'essence arrive en Angleterre. . . . .
5) La pomme que regardait Isaac Newton tomba. . . . .
6) On commence un match de football. . . . .
7) Si on commence par fumer une cigarette par jour, on. . . . .
8) Nous partons en vacances deux fois. . . . .
9) Nous avons appris le poème. . . . .
10) Nous nous sommes promenés. . . . .

71 POUR

DESTINATION
Il est parti **pour** New York.
Voici le train **pour** Lyon.

. . . ENOUGH TO . . .
Il est **assez** âgé **pour** nous accompagner.

TOO . . . TO . . .
Tu es **trop** jeune **pour** le faire.

FUTURE TIME
Je m'en vais **pour** 15 jours.

N.B. PAST TIME
J'y suis resté **pendant** 15 jours.

A

Complétez avec «pendant» ou «pour»:

1) Le bébé a dormi —— toute la nuit.
2) Ces touristes partent —— une quinzaine de jours.
3) Il n'est pas assez intelligent —— réussir à ses examens.
4) Vous êtes trop jeunes —— passer l'examen du permis de conduire.
5) J'ai habité cet appartement —— six mois.
6) En 1492, Colomb partit —— l'Amérique.
7) «Ce train va-t-il à Paris?» «Oui, c'est le train —— Paris.»
8) L'alcool n'est pas bon —— vous.

CONJUNCTIONS

72 AUSSITÔT QUE (QU'), DÈS QUE (QU') (*as soon as*)

There is no difference in meaning between these two.

Two tenses are very commonly found after these conjunctions:

1) *When they refer to the past, we usually find the pluperfect (see A).*

2) *When they refer to the future, even though the English present is used, we find the future or the future perfect (see B and paragraphs 28 and 29).*

A J'ai trouvé le trésor. Je suis allé immédiatement à la gendarmerie.
Aussitôt que (Dès que) j'avais trouvé le trésor, je suis allé à la gendarmerie.

1) Nous avons dîné au restaurant. J'ai accompagné immédiatement Pauline jusque chez elle.
2) Il a cessé de neiger. Les skieurs ont quitté la cabane immédiatement.
3) Nous avons passé par la Lorraine. Nous sommes arrivés immédiatement en Alsace.
4) Nous avons écouté ce nouveau disque. Nous avons applaudi immédiatement.
5) L'oiseau a paru sur le toit. Nous avons téléphoné immédiatement au zoo.

B

1) *As soon as he had received the money, he bought some records.*
2) *As soon as we had passed through Moulins, it began to be fine.*
3) *Tell me as soon as he appears.*
4) *Come as soon as you have had lunch.*
5) *You will leave when it has stopped raining.*

73 COMME (*as*)

Comme *has three main uses:*

1) *'As' in the sense of* ***while***

2) *'As' in the sense of* ***because*** *or* ***since*** *(see A)*

3) *At the beginning of exclamations that would begin with 'how' in English (see C), e.g.* **Comme** tu es bête!

A Je n'ai pas pu sortir parce que la neige bloquait les routes.
Comme la neige bloquait les routes, je n'ai pas pu sortir.

1) Nous avons dû quitter notre appartement parce qu'il avait cinq pièces seulement.
2) J'avais faim parce que nous n'avions pas mangé depuis huit heures.
3) Je suis passé au garage parce que je n'avais presque plus d'essence.
4) Nous n'y sommes pas entrés parce que c'est un restaurant très cher.
5) Nous n'avons rien vu parce que le sommet était couvert de nuages.

B

1) *As the snow fell, we reached the top of the mountain.*
2) *As we were hungry, we went into a restaurant.*
3) *As you see, our flat isn't very big.*
4) *As I was opening the front door, I noticed a parcel on the step.*
5) *As my car is at the garage, I am taking my son's motor bike.*

C

1) *How hot it is!*
2) *How she has changed!*
3) *How clever you are!*
4) *How the thief ran!*
5) *How strong Dad is!*

74 PARCE QUE (QU') (*because*)

A Comme il était pauvre, il avait souvent faim:
Il avait souvent faim parce qu'il était pauvre.

1) Comme il faisait froid, j'ai mis mes gants.
2) Comme il était tard, nous avons pris un taxi.
3) Comme ma jambe me faisait mal, j'ai dû renoncer au cent mètres.
4) Comme la nuit tombait vite, nous avons passé la nuit dans une cabane du Club Alpin.
5) Comme maman était malade, moi, j'ai dû faire les achats.

B

1) *He took off his gloves because it was fairly warm.*
2) *They went to the hospital because their father was there.*
3) *We went to the doctor's because my feet were hurting me.*
4) *The zoo was closed because it was not yet 9 a.m.*
5) *We took the train because we were frightened of the fog.*

75 PENDANT QUE (QU') (*while*)

A

Link by putting* «pendant que» *at the beginning.

1) Georges s'habillait. Sa mère préparait son petit déjeuner.
2) Nous jouions au football. Un voleur a pénétré dans les vestiaires.
3) J'attendais devant l'hôtel de ville. J'ai vu passer la voiture des pompiers.
4) Vous dormiez. Moi, j'ai fini notre modèle réduit.
5) Les élèves travaillaient au laboratoire de langues. Leur professeur se reposait dans la salle des professeurs.

B

1) *While I was resting upstairs, the phone rang.*
2) *While you were in France, your aunt Marie died.*
3) *While I was abroad, I was thinking of (= à) my family all the time.*
4) *I lost my queen while we were playing chess.*
5) *The mice had a good time while the cat was absent.*

76 J'AI DIT QUE (QU') (*I said that*); J'AI DEMANDÉ SI (*I asked whether*)

The **que** *is never left out as in English: 'I said he would go.'*
Note that when you are changing direct speech into reported speech the tenses change as follows:

present ——→ ***imperfect***

perfect *and*
imperfect ——→ ***pluperfect***

A «Tu vas à l'école?» ai-je demandé.
J'ai demandé si tu allais à l'école.

«Ma mère est malade», ai-je dit.
J'ai dit que ma mère était malade.

1) «Elle va prendre le taxi?» ai-je demandé.
2) «Le bus est arrivé en retard», a-t-il dit.
3) «Le nouveau film n'est pas bon», ont-ils répondu.
4) «Michel est rentré?» ont-elles demandé.
5) «Monsieur Lefèvre doit garder le lit», a dit le médecin.

B

1) *Your friend said you had been ill.*
2) *I asked whether they were coming on Tuesday.*
3) *The policeman shouted that the road wasn't open.*
4) *We asked if the farmer had already sold the horse.*
5) *You didn't say that the lift wasn't working.*

77 COMMENT (*how*); POURQUOI (*why*)

The tenses used after these two conjunctions are the same as after **que** *and* **si** *in the preceding paragraph.*
Remember that 'how' at the beginning of an exclamation is **comme** *and* ***not*** comment *(see paragraph* 73).

A «Pourquoi vas-tu à Paris?» ai-je demandé.
J'ai demandé pourquoi tu allais à Paris.

1) «Comment va Madame Laperrière?» a-t-il demandé.
2) «Comment fait-on une omelette?» a demandé le pauvre mari.
3) «Pourquoi portes-tu une cravate rouge?» a demandé M. Moilement.
4) «Comment répare-t-on un pneu crevé?» a demandé la femme au volant.
5) «Pourquoi va-t-elle à la pharmacie?» as-tu demandé.

B

1) *Nobody explained why the train was late.*
2) *Pierre asked how you had broken the window.*
3) *I wondered* (= se demander) *how we were going to do it.*
4) *He asked me how I was* (= aller).
5) *Tell me why you did that!*

78 OÙ (*where*); D'OÙ (*where . . . from*); LE JOUR OÙ (*the day when*)

A

1) *I don't know where the noise is coming from.*
2) *Did you see him the day he came here?*
3) *I asked him where he came from.*
4) *That's his chair where you are sitting* (= assis).
5) *The day when I went down the rue de la Morgue.*
6) *The letter is no longer in the drawer where I put it.*

79 QUAND, LORSQUE (LORSQU') (*when*)

Of these two, **quand** *is by far the most frequently used. You will probably find* **lorsque** *only in books.*
When it refers to a ***past*** *time,* **quand** *is generally followed by a* ***pluperfect*** *(see A and B).*
When **quand** *refers to the* ***future,*** *even though English uses the present tense, it must be followed by a* ***future*** *or* ***future perfect*** *in French (see paragraphs* 28 *and* 29).

A Nous avons quitté la maison. Et puis nous avons pris le bus.
Quand nous avions quitté la maison, nous avons pris le bus.

1) Il est devenu professeur à Paris. Et puis sa mère est morte à Marseille.
2) L'horloge de la cathédrale a sonné minuit. Et puis un gros camion a brûlé le feu rouge.
3) Le rideau est tombé. Et puis tout le monde a quitté la salle.
4) Il s'est couché. Et puis il s'est endormi tout de suite.
5) J'ai fait la vaisselle. Et puis j'ai commencé à faire les lits.

B

1) *When I had left the building, a fire broke out* (= éclater) *on the second floor.*
2) *When the play had finished, we started to applaud.*
3) *When the ticket collector had gone away, my son came down from the luggage rack* (= le filet).
4) *When it had stopped raining, the teams came out of the cloakrooms.*
5) *When the lorry had stopped, the driver asked us the way.*

80 SI (*if*)

Do not confuse this **si** *with the* **si** *used after* demander *in the sense of* **whether** *(see paragraph* 76)·
There are two main types of **si** *(if) sentence and they are shown below.*

Type 1

Si + ***present*** *tense,* { ***present*** *tense* / ***future*** *tense* / ***imperative***

Si le train **arrive** à 16 heures, {
je **suis** chez moi avant 17 heures.
je **serai** chez moi avant 17 heures.
viens me voir avant 17 heures.

Type 2

Si + ***imperfect*** *tense,* ***conditional*** *tense*

Si le train **arrivait** à 16 heures, je **serais** chez moi avant 17 heures.

A

1) *If you see our dog, catch him!*
2) *If the postman comes, ask him to wait.*
3) *If it doesn't rain, we water* (= arroser) *the flowers.*
4) *If it is dirty, I always wash my car.*
5) *If we cheat, I shall have a good mark.*
6) *What shall we do if the postal order doesn't arrive?*
7) *If you paid* (= faire) *attention to the papers, you would be very foolish.*
8) *I should be astonished* (= s'étonner) *if she passed the exam.*

INVERSION AFTER SPEECH

81 *INVERSION OF VERBS OF SAYING*

You must put the subject ***after*** *the verb in a sentence where the verb of saying comes* ***after*** *words inside guillemets e.g.*
«Bonjour», **a-t-il dit.**
«Bonjour», **a répondu Paul.**

If the verb of saying comes ***before*** *the guillemets begin, the order of subject and verb is the* ***normal*** *one e.g.*
Il a dit: «Bonjour.»

A Il s'est dit: «Courage!»
«Courage!» s'est-il dit.

1) Je me suis dit: «Que faire?»
2) Elle s'est demandé: «Où aller?»
3) Nous nous sommes écriés: «Comment sortir?»
4) Je lui ai demandé: «Ça vaut combien?»
5) Elle s'est excusée: «C'est de ma faute.»

B Le professeur nous a dit: «Bonjour!»
«Bonjour!» nous a dit le professeur.

1) Le chat s'est dit: «J'attends la souris ici.»
2) Notre professeur s'est écrié: «Vas-y, Hippolyte!»
3) Le prince Hamlet s'est demandé: «Être ou ne pas être?»
4) Les agents leur ont répondu: «Suivez tout droit!»
5) Nos amis nous ont dit: «A tout à l'heure!»

C

1) *'Good-bye,' she said to me.*
2) *'Till* (= à) *tomorrow,' I replied to her.*
3) *'Where is the cathedral?' the tourist asked us.*
4) *'How are you?' my father asked her.*
5) *'Very well, thanks,' she replied to him.*

2 TRANSLATION INTO FRENCH

NOTE TO TEACHERS

1) These passages have been devised to give practice in certain groups of grammatical points, roughly corresponding to the groupings of the grammatical summary.
2) The English has been doctored so that pupils who translate straightforwardly, following up the clues and help provided, may arrive at a passage of simple natural French.
3) Careful preparation in class is essential, and here we include going through the relevant portions of the grammatical summary as well as work on the English passage.
4) We have done three things to help pupils:
   a) indicated after the title the paragraphs in the grammatical summary which are most relevant
   b) referred pupils to other paragraphs by numbers above words in the text
   c) given a very full English-French vocabulary at the back of the book.
5) More English passages, taken from papers set by the G.C.E. Boards are to be found in the Supplementary Booklet. As they are meant for examination practice, no help has been given.

HINTS FOR PUPILS

1) First make sure you grasp everything in the paragraphs in the grammatical summary mentioned below the title.
2) As you work through the passage, see if you can spot which phrases are based on the points you have just looked up.
3) When you see a number over a word, look back to that number in the grammatical summary.
4) Use the English-French vocabulary at the back of the book as much as you like at first. Then, when you have done about four or five of the passages, try to become more and more independent of it, using it only as a final check on spelling.
4) Whenever you are doing a passage, leave at least 10 minutes for checking your work.
   Here is a simple check list:
   a) Check the subject and verb
   b) Check the tense and ending of each verb
   c) Check the auxiliary and past participle of every verb in a compound tense
   d) Check the agreement and position of every adjective.
5) In your examination, read the instructions most carefully. In particular, watch which past tenses you are told to use.

1 — The Young Coward

13 – 17

I had[36] been a first-former for a few weeks when I was asked[18] to take some exercise books to the headmaster's study.

I smiled politely, got up, picked up the exercise books and went out of the room, which was on[67] the first floor.

The study was on the ground floor next to the former[12] music room. I hesitated a long time at the top of the stairs. I hated M. Lemoine, whose face frightened me. I didn't like his secretary, either, which was a pity, because she had a little office through which one had to pass.

I soon found myself in front of her office, where the headmaster had[50] just gone in. After hesitating[56] once again, I did what was very easy after all.

Finally, I went back upstairs. Our teacher asked me if I had seen the headmaster. 'Yes, sir,' I replied.[81]

A quarter of an hour later a fifth-former came in. The headmaster needed[41] the exercise books that M. Topaze had promised to send. 'Monsieur Topaze,' I said, weeping,[39] 'I hid them[55] in the cloakroom.'

2 — An Inspector Calls

23 – 25

A week ago[66] our bank was robbed.[18] The following evening I was watching the television when, suddenly, a policeman rang at the door. He came in and began[62] to ask me questions.

— How long have you been working at the bank? he asked.[81]

— For[36] about a year and a half, I replied.

— Where were you when the robbery took[41] place?

— I was having lunch in a restaurant.

— With whom?

— Nobody.

— At what time did you go back to the bank?

— About[67] half past two.

— Why were you so late?

— I met some old friends and we chatted for[71] more than half an hour.

— What did you do on[38] arriving?

— I went upstairs to see my boss.

— Thank you, sir, I have[62] no more[2] questions to ask. Good evening, sir.

He went out and I started to pack. Evidently, I hadn't much time to lose.

3 — From Paris to Provence

28 – 29

Next year, my father will be[41] fifty-five. He is[42] a primary school teacher, and, in France, primary school teachers retire at that age.
Mum and he will sell their little villa at Suresnes as soon as he has stopped working. They will go[61] and live in the South of France, where it is never very cold. My wife and I will be able to go and see them during the summer holidays and at Christmas.
Dad will be very happy[43] to live in Provence. He will be buying an old house with[6] white walls in the middle of a small vineyard. He will spend his time[62] making his own own[12] wine. What[25] a lovely life!
Mum will miss the big Paris shops, I think. There will be no[3] theatre down there, either, When she talks, nobody will understand her Parisian accent; when they[18] talk to her, she will never understand all those strange Provençal words.

4 — A Great Man's Weakness

31 – 32

As soon as our dear[12] headmaster came into the office, he spoke to his beautiful black-haired[6] secretary.
'This afternoon, mademoiselle, I do not want any[3] visitors. It's very important. Don't forget!'
He went into his own[12] office and locked the door. The telephone began[62] to ring, but he refused[63] to answer. He drew the lovely curtains and sat down behind his desk. Opening one of the drawers with a small key, he took out a plastic box and turned a few knobs. A strange noise came from the box. Our good headmaster began to smile, but he had[48] to wait a few minutes more, because the telephone rang again.
At last everything was quiet. Now, he could[49] listen to the big match on the transistor.

5 — A Cheeky Salesman

33 – 34

My friend's[68] flat was quite near the centre of the town. You[18] turned left at the end of the street and you found yourself on the main square. In the middle, there was a large[11] empty space. On Tuesdays, it was covered[68] with wooden shops because the market took[41] place there.

We used to go[61] and listen to one of the salesmen. He sold wine and cognac. He was small and round like a bottle of cognac. His wife was tall and thin like a bottle of wine. The husband's hair[5] and eyes were grey, and his voice could be[18] heard a kilometre[67] away; the woman never said anything.

The salesman would shout: 'Ladies and gents, buy my wine and my cognac! Eight or twelve francs a bottle, only! If you don't like wine,[1] buy my cognac! If you don't like cognac, try the wine! If you hate both, why do you go on[62] living?'

6 — The Haunted Bakery

32 – 34

In[69] 1968, I was staying[46] in a small village in Normandy. The region was very beautiful and the weather was very hot. I used to go[46] for long walks into the country.

One morning, I began my walk after breakfast. After a few minutes, I discovered that I had nothing[19] to eat. It was fairly early and only one shop — a bakery — was open. The proprietor was an old man with[6] white hair, and who looked[41] very ill. I bought some milk chocolate and some delicious croissants.

The next morning, I was coming down the same street. So I went into the shop. This time, a young man served me. I asked him how his father was.

'My father?' he answered[81] slowly. 'Yes,' I said, 'the old gentleman with the white hair.' 'Ah,' he said, 'you must[48] have been absent for[36] a long time. Dad died ten years ago'.[66]

7 — Escape From Fear

35

Mum shut the flat door for the last time and got into the car. The Nicolas family was leaving for its new house.

On the way, young Pierre thought[67] about the years that[54] he had spent in the rue de la Morgue, and about everything[17] that had happened there. He had been born in the big bedroom; he had learnt[62] to walk by[38] going round the dining room table. He would never forget the day[78] when he had opened all the taps in order to see how much water there was in the pipes.

Dad had found a new[9] job 500 kilometres[67] away, and the family would never go back to Honfleur. And Pierre was very glad[43] to be leaving. What[16] he had seen in the lift had frightened him terribly, but he had never been able to tell the story to his parents.

His dreams forgotten, his new life would be pure and calm.

8 — Gretchen at the Wheel

56 – 64

Yesterday I went and saw an old German film. I decided to try to understand what[16] the actors were saying, without looking at the sub-titles. I am sorry to say that I did not succeed.

After watching for[71] twenty minutes, I began to understand what was happening on the screen. A husband was teaching his wife to drive a motor car. The man would[34] tell what she had[48] to do, but she would[34] do the opposite. If the husband told her to turn left, she would[34] hurry to turn right. The poor chap did not know what to do!

Finally, they arrived in front of a very high wall: one could[49] turn right or left. 'Straight on, darling!' shouted the husband. Bang! What[25] a terrible accident!

Before going to bed, I persuaded my parents to go and see the same film next day.

9 — Smoke Without Fire

38 – 40

On Thursday morning, on leaving the house to[58] go to the office, I saw[61] the bus moving away from the stop. Knowing that the next would arrive half an hour later, I decided to go on[67] foot.

As I came down the avenue Foch, I noticed a crowd in front of the little cakeshop. Knowing the proprietor very well, I stopped, too. Everyone was looking at the roof.

'Why[24] is everybody waiting in front of my shop?' asked my friend on coming out of the shop.

An old[9] man replied: 'We saw some black smoke which was coming out of your chimney. So we tried[63] to help you by telephoning to the fire brigade.'

'That's very kind of you,' answered the proprietor, smiling. 'But there's no[3] fire here. The smoke[13] you saw was coming from some burnt cakes. I had forgotten[76] they were in the oven.'

On hearing that, we all went on our way, laughing.

10 — Alpine Rescue

41 – 51

I had always wanted to climb the mountain from the north side. Pierre ought to have been with me, but he hadn't been able to leave his wife, who was expecting her first child.

Halfway, I had to stop to[58] rest. I was about to set out again when I heard a noise of stones that were falling. I don't know what[16] happened next, but, without[59] knowing how, I found myself, seriously injured, at the foot of a steep slope.

My rucksack had disappeared; I could no longer[65] move my arms. With great difficulty, I took a whistle out of my pocket with the aid of my teeth. I must have taken twenty minutes to do it.

I whistled several times but I heard no[3] reply. I should have liked to go on[62] whistling, but I was feeling very weak. I wanted to drink something[19] cool and then to sleep. But I knew that to sleep was to die. I managed to whistle two or three times more. Then[66] I saw a large[11] black and white dog. I could sleep now: I was saved.

11 — The Wine-Coloured Shirt

72 – 80

'Au revoir, Robert!' shouted the Halquolle family as the train began[62] to leave the gare Saint-Lazare.

Soon the train was passing through the Paris suburbs at[67] a good speed. M. Halquolle had brought a large bottle of red wine when Robert was on the point of shutting his suitcase. He already had one, but he hadn't dared[61] refuse the second bottle. So he had hidden it[55] right at the bottom under his lovely white shirt, the one[21] that[54] Madame had given him. What ought[48] he to say to the customs officer? Robert did not know. The train finally reached Dieppe, where the boat was waiting. When the coast of France had disappeared, Robert opened his new James Bond book. He became braver and braver. He told himself that he would be very clever and very calm.

At Newhaven, he told the customs officer: 'I have nothing[19] to declare.' The customs officer asked[64] him to open his suitcase. Robert opened it,[55] smiling. (It was a real James Bond smile!) Then he stopped[63] smiling, because they could both see that the suitcase was full of wine and that he no longer had a white shirt. What[25] a lovely end to the holidays!

12 — A Bitter Cup

76 – 80

A few weeks ago,[66] I met Jean. We began to talk about our favourite[8] team, the Olympique de Lyon.

— We are playing against Reims for the cup tomorrow, I said to him.

— I'm sure that we shall win easily. And then I hope it will be Toulouse or Nîmes. They[18] say that both teams are very weak this year.

— After that we shall play against Sochaux. If we have any luck, we shall beat them by three goals to one, at least.

— And then it will be Rouen or Toulon. I say that we can beat Rouen with ten men. And if we can beat Rouen, Toulon will not be a difficult match.

— That means that, in the final, we shall have[48] to try[63] to beat Saint-Étienne. How horrible![25] I suppose you think we would lose.

— I'm sorry to say that that is what[16] I think. But everyone says that nothing is certain in the cup. I'll see you at the match tomorrow. Au revoir, Michel!

Now I know that everybody is[41] always right: Reims beat Lyon by five goals to nil!

3 VOCABULARY REVISION

NOTE TO TEACHERS

In this section we have attempted to provide a pictorial revision of the basic words of French. Most conventional text-books, complete with the inevitable over-crowded farm-yard, are not entirely satisfactory because they revise only nouns. By providing short sentences, referring by number to a detail of the drawing, we have brought in the adjectives and verbs which pupils should know by this stage.

Suggested teaching method

1) Use the pictures for oral work in class, developing and expanding the sentences where appropriate, and referring to extra unnumbered details in the drawings if time permits. The text has been printed so that it can easily be covered by the pupil for the part of the lesson where the teacher wishes to see how much has been retained.
2) The page should be studied for homework.
3) Test the homework in class, with the text covered. Pupils should be encouraged to learn the complete sentence rather than just the nouns to which the numbers refer. The teacher can give the reference number to a part of the drawing and ask the pupils to write or say as much as they can about the situation referred to. As an occasional alternative, the class could use some drawings as the basis for a descriptive essay.

HINTS FOR PUPILS

The best way to learn French vocabulary is to do it in a reliable, consistent and systematic way from the first year.
It may be that you have been rather slack in the past about learning vocabulary. That is why we have provided in this book an opportunity to revise all those simple and basic words which you may have forgotten. It is not too late to fill in the gaps in your knowledge, provided that you start **now** and do not leave everything until the last month before your examination.

Method of learning

You may have found it hard to retain vocabulary in the past. Perhaps your method was wrong. Here are some suggestions:

1) Find a quiet place at home where there are no distractions.
2) Remember that it is better to work really hard for a short time than to spend a long time with no real concentration.
3) Look at the page you have chosen to learn, bearing in mind that the numbers on the drawings refer to the sentences printed on the same page. Read every sentence carefully, making sure you know the meaning, gender and spelling of every word. If you are uncertain, check in the French-English vocabulary at the back of the book.
4) Now cover the printed text, look at the picture and try to say the sentence which corresponds to each reference number.
5) Re-learn only the ones you failed to get absolutely right first time. Test yourself again.
6) To practise your spelling, cover the text and write out the sentences.
7) Always try to associate the words with what you remember of the drawing. You will learn much more effectively this way.

MAISON ET JARDIN

1) Le père travaille dans le jardin potager.
2) Il coupe les choux dont il est très fier.
3) «Apporte-moi la brouette; je vais y jeter ces magnifiques choux.»
4) Un garçon est monté dans l'arbre pour cueillir des pommes.
5) Comment a-t-il fait cela? En posant l'échelle contre le tronc.
6) Il laisse tomber les pommes dans le panier.
7) Il doit saisir la branche pour s'empêcher de tomber.
8) La grand-mère, toujours inquiète, ouvre la fenêtre pour crier à son petit-fils: «Fais attention!»
9) La fumée sort de la cheminée; que c'est sale!
10) La fillette s'amuse en sautant à la corde.
11) La mère a décidé de peindre les portes du garage.
12) Le chat la gêne. «Va-t'en, Minou!»
13) Le bébé, qui essaie d'aider sa maman, renverse le pot à peinture.
14) Un autre fils enlève les roues de sa bicyclette,
15) parce qu'il veut réparer les pneus crevés.
16) «Papa! le chien a creusé un trou dans la pelouse.»
17) «Empêche-le donc!» «C'est trop tard! Il va enterrer son os.»

LES PIÈCES DE LA MAISON

1) Chez nous la cave est pleine de charbon et de bois.
2) Je ne comprends pas pourquoi le chat est assis sur une des marches de l'escalier.
3) Peut-être qu'il a l'intention d'attraper une souris.
4) Au rez-de-chaussée il y a la cuisine, la salle à manger et le salon.
5) Maman adore peindre; elle s'occupe du plafond de la cuisine.
6) Le poêle est pour le chauffage central, qui est très utile en hiver.
7) Mes grands-parents sont occupés à mettre le couvert.
8) Au premier étage se trouvent les chambres à coucher et la salle de bains.
9) Mon père, toujours travailleur, essaie de décorer la chambre.
10) Qu'il est maladroit! Il a mis son pied dans le seau.
11) Ma sœur doit se coucher tôt ce soir.
12) Quand elle se déshabille, elle laisse toujours ses vêtements en désordre.
13) Mon petit frère prend une douche dans la salle de bains. «Aïe, c'est chaud.»
14) Mon oncle est monté au grenier sous le toit pour installer une lampe électrique.
15) Les vieilles boîtes là-haut sont couvertes de poussière et de toiles d'araignée.
16) Mes amis attendent dehors; ils espèrent aller au bowling avec moi.
17) Mais moi, je dois faire mes devoirs dans le salon. Je ne pourrai pas sortir ce soir, hélas.

LE SALON

1) Le feu brûle dans la cheminée.
2) Le chien s'est endormi devant le feu.
3) «Je te tricote une chaussette, Michel.»
4) Le chat joue avec la laine. «Va-t'en, Minou!»
5) La pendule est entre un vase et un cendrier.
6) La grand-mère vient d'éteindre le poste de télévision.
7) La fillette joue du piano et chante.
8) Son frère se bouche les oreilles. «Aïe, quel bruit horrible!»
9) Il y a un tableau au-dessus du piano.
10) Le père cherche du tabac pour sa pipe.
11) Les rideaux sont fermés.
12) Le bébé prend des livres dans la bibliothèque.
13) Le grand-père s'assied dans un fauteuil confortable.
14) Leurs disques favoris sont sur le phono.
15) Cet enfant laisse traîner ses jouets partout. C'est une mauvaise habitude, ça!

LA SALLE A MANGER

1) Les invités entrent dans la salle à manger. «Soyez les bienvenus!»
2) «Ah, vous avez allumé les bougies. Que c'est joli, ça!»
3) Devant chacun des quatre couverts il y a deux verres vides.
4) Le couteau est à droite de l'assiette.
5) La grande cuiller est pour la soupe.
6) La fourchette est en acier inoxydable.
7) Une serviette est tombée sur le tapis.
8) Y a-t-il une tache sur la nappe? Espérons que non!
9) Il y a des bouteilles de vin sur le buffet.
10) Une domestique va servir le dîner.
11) Elle enlève le couvercle et remue la soupe.
12) «Mmm, ça sent bon!»
13) Le poulet rôti sera délicieux.
14) Après le repas on boira du café.
15) «Où ai-je mis les tasses et les soucoupes? Ah, les voilà sur le plateau.»
16) Le chat ne s'intéresse pas aux grandes personnes. Il joue avec le fil du téléphone.
17) Il a une assiette sous le buffet; il mangera les restes plus tard.

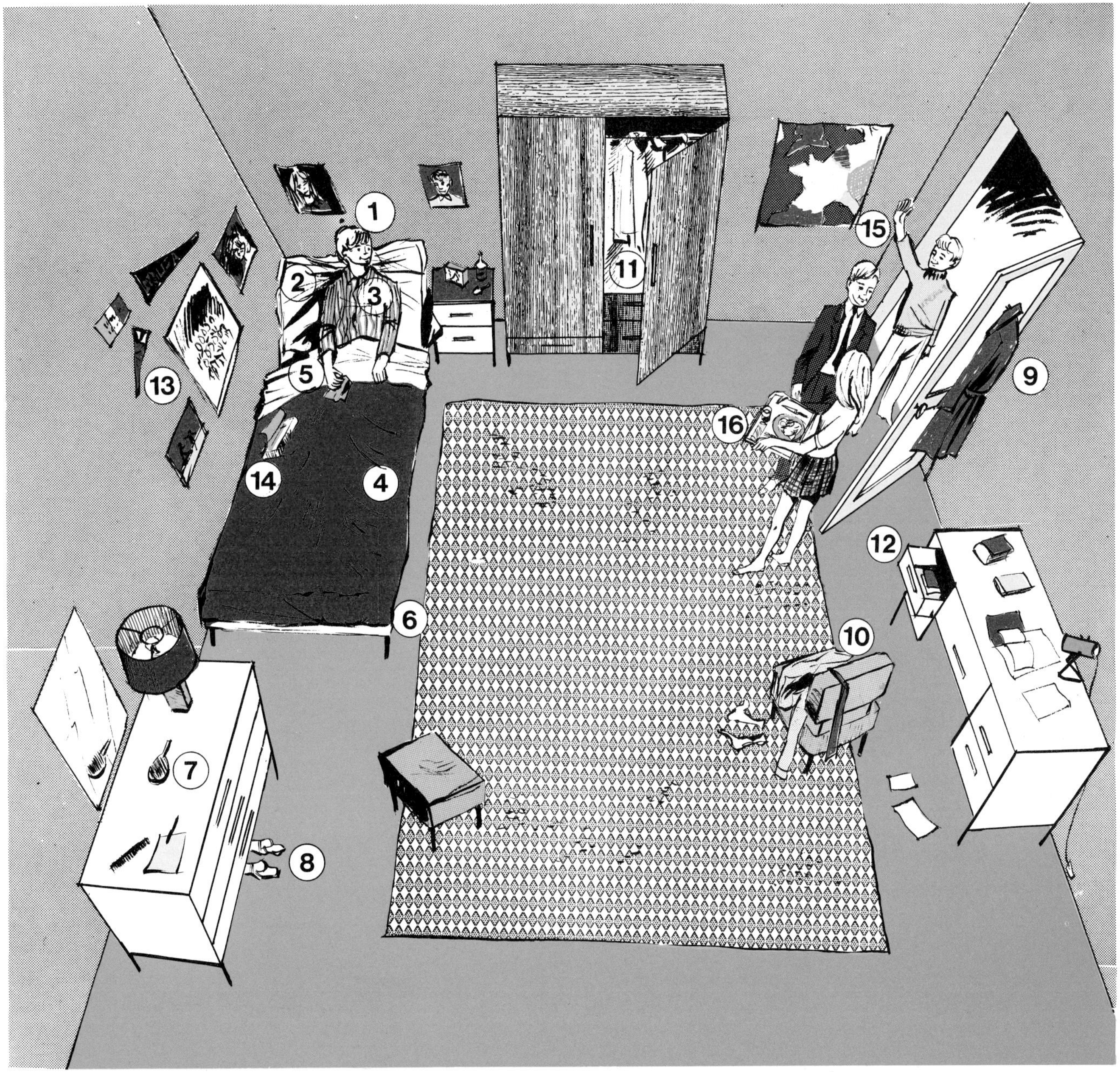

LA CHAMBRE A COUCHER

1) Ce garçon est couché parce qu'il est malade.
2) Il s'appuie contre des oreillers.
3) Il porte un pyjama jaune et blanc.
4) La couverture du lit est rouge.
5) Les draps sont blancs et très propres, naturellement.
6) Le matelas est épais et confortable, sans doute.
7) Sa brosse à cheveux est devant le miroir.
8) Ses pantoufles sont sous la commode.
9) Il a pendu sa robe de chambre à la porte.
10) Sa cravate et sa chemise sont sur la chaise.
11) Quelques vêtements sont dans l'armoire.
12) Un tiroir de son bureau est ouvert.
13) Il y a des images collées au mur.
14) Le pauvre malade a besoin de mouchoirs en papier.
15) Ses amis sortent de la chambre: ils lui ont rendu visite.
16) Sa sœur lui apporte un repas sur un plateau. «Voici pour toi, paresseux!»

LA CUISINE

1) Maman se repose pendant que les autres font le ménage.
2) «Tu es bien gentil de faire la vaisselle, chéri», dit-elle à son mari.
3) Il pose les bols sur l'évier.
4) Il porte des gants en caoutchouc.
5) Son fils ramasse les morceaux d'un bol cassé.
6) Sa fille met le linge sale dans la machine à laver.
7) Elle porte le tablier vert de sa maman.
8) Ce garçon frotte le plancher pour le nettoyer.
9) L'eau dans la cuvette est très chaude.
10) La grand-mère surveille les casseroles sur la cuisinière.
11) Attention! le bébé saisit le manche d'une casserole.
12) Il y a beaucoup de nourriture dans le frigo.
13) Le chien regarde toutes les bonnes choses parce qu'il a faim.
14) Le chat a soif; il boit du lait dans une soucoupe.
15) On a oublié de débrancher la bouilloire.
16) Personne ne se sert de l'aspirateur.

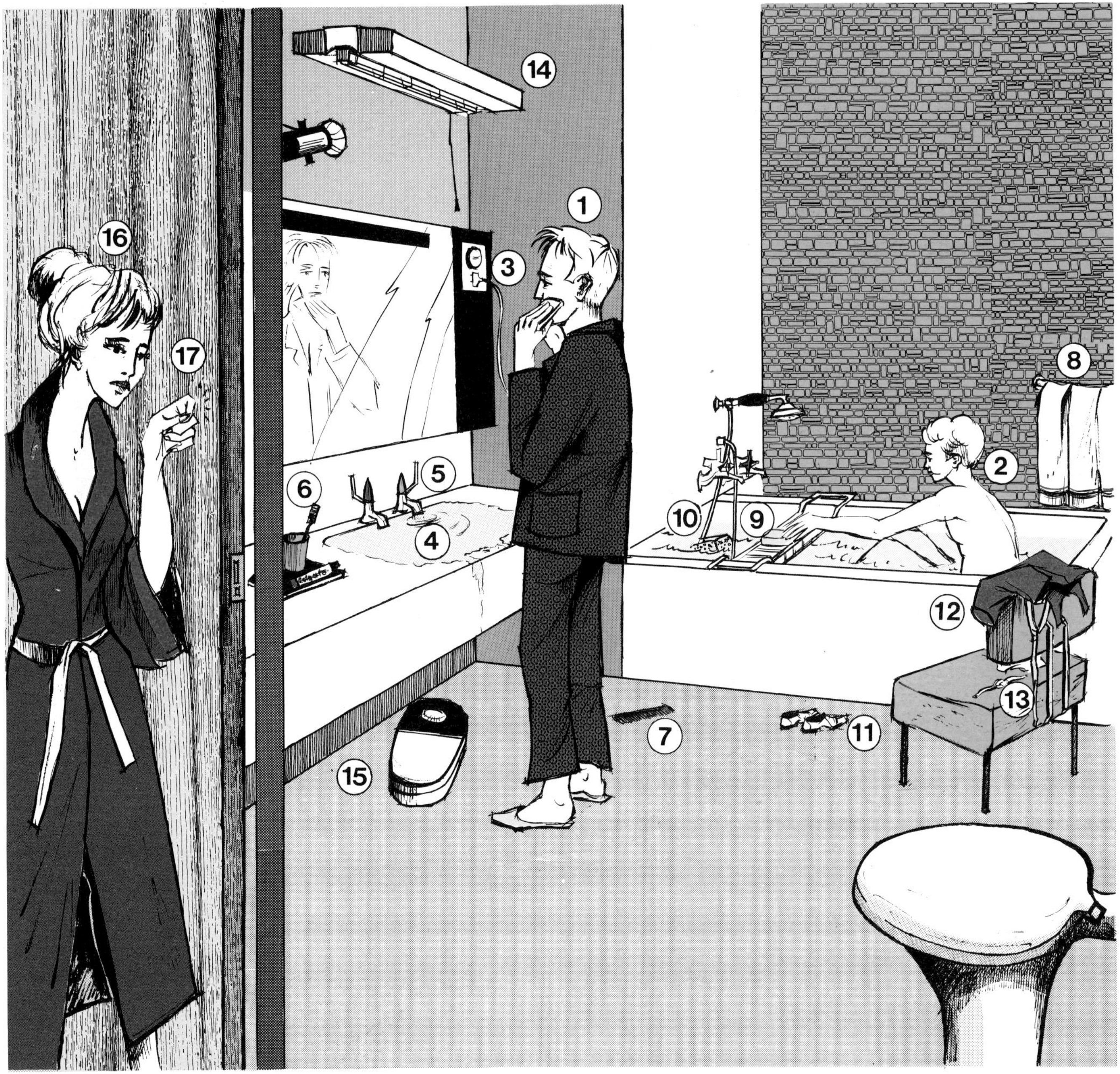

LA SALLE DE BAINS

1) Pendant que le père se rase,
2) le fils prend un bain.
3) On a souvent besoin d'une prise spéciale pour un rasoir électrique.
4) Le lavabo est plein d'eau,
5) parce que quelqu'un a oublié de fermer le robinet.
6) La brosse à dents et le dentifrice sont sur le rayon.
7) Le peigne est tombé sur le plancher.
8) Il y a une serviette propre sur le radiateur.
9) L'enfant étend sa main pour chercher le savon.
10) Une éponge flotte sur l'eau.
11) Ses souliers sont à côté de la baignoire.
12) Après avoir ôté sa culotte, il l'a mise sur la chaise.
13) Il y a laissé sa montre aussi.
14) Ce radiateur électrique est très commode en hiver.
15) La bascule est là pour ceux qui n'ont pas peur de savoir combien ils pèsent.
16) La fille aînée de la famille attend dehors.
17) Elle frappe à la porte et crie: «Dépêchez-vous donc! Je serai en retard.»

L'ÉCOLE

1) Dans la cour deux enfants se battent ensemble.
2) D'autres jouent au chat—ils se poursuivent en courant.
3) En haut, les élèves apprennent la géographie.
4) Le professeur écrit au tableau noir.
5) Il est sévère; tous les élèves font attention et se conduisent bien.
6) Les élèves copient la carte sur leur cahier.
7) La craie et la serviette du professeur sont sur la table.
8) Ce garçon lève la main pour poser une question.
9) La corbeille est sous le tableau d'affichage.
10) En bas, les élèves font des mathématiques.
11) Le maître est trop doux; la classe se moque de lui.
12) Il dessine un carré pour expliquer le problème.
13) Une élève met le chiffon sur la tête de sa voisine.
14) Cette élève jette un encrier.
15) Cet élève déchire son livre; il sera puni.
16) L'élève le plus méchant casse une vitre.
17) Regardez toutes les matières sur le bulletin trimestriel.

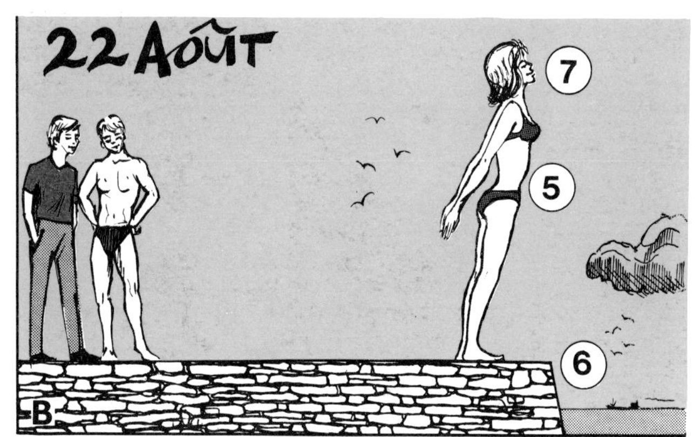

AU BORD DE LA MER

A. 1) Mon père, qui se croit pêcheur, vient de perdre sa canne à pêche.
2) C'est pourquoi son filet est vide.
3) Moi, j'ai trouvé cela drôle et j'ai ri de bon cœur.
4) L'autre pêcheur vient d'accrocher un gros poisson; mon père est jaloux comme tout.

B. 5) Ma grande sœur a une jolie taille mince; c'est pourquoi elle aime porter son maillot de bain.
6) Elle est montée sur la jetée pour faire un plongeon.
7) Avant de plonger, elle a respiré profondément.

C. 8) Mon petit frère a ôté son maillot mouillé pour le laisser sécher au soleil.
9) Il fait un château de sable avec une pelle et un seau.
10) Ma petite sœur ramasse les galets et les coquillages sur la plage.

D. 11) Un jour mon père a essayé de faire entrer mon frère dans l'eau,
12) mais il avait peur, il a pleuré et a voulu s'en aller.
13) C'est qu'il avait aperçu le marchand de glaces.

E. 14) Le lendemain nous avons vu un nageur qui ne pouvait pas sortir de l'eau.
15) Il se noyait; il a crié au secours.
16) Pour le sauver, on lui a jeté une ceinture de sauvetage.

F. 17) Le dernier jour de nos vacances, nous avons fait du canotage au lieu de nous baigner.
18) Nous nous sommes dirigés vers une île.
19) Nous ne savions pas qu'il y avait un trou dans le canot; nous avons fini par nager.

QUEL TEMPS FAIT-IL?

A. 1) Il fait froid en hiver quand la neige est profonde.
   2) On peut patiner quand le lac est couvert de glace.

B. 3) Le skieur très adroit descend la côte.
   4) Il y a du danger quand la glace commence à fondre.

C. 5) Au printemps les jeunes moutons sautent dans les prés.
   6) Les fleurs poussent et les arbres sont en feuilles.
   7) Il fait frais et de temps en temps il y a une averse de pluie.

D. 8) Le ciel est couvert de nuages gris.
   9) Les gouttes de pluie tombent dans les flaques sur le trottoir.
   10) Quand il pleut à verse, un parapluie nous protège bien.

E. 11) Quand il fait du vent, on peut facilement perdre son chapeau.
   12) La girouette nous montre que le vent souffle du nord (et non pas de l'est, du sud ou de l'ouest).
   13) Regardez comme le drapeau flotte sur le mât.

F. 14) En été le soleil brille et il fait chaud.
   15) Le vieillard dort à l'ombre.

G. 16) Un orage va éclater bientôt; nous apercevons des éclairs au loin.
   17) Un coup de tonnerre retentira quelques secondes plus tard.

H. 18) En automne il fait sombre plus tôt.
   19) Il est triste de voir les feuilles tomber des arbres.

I. 20) Quand le brouillard est épais, les autos doivent rouler lentement.
   21) Le piéton doit se servir de sa lampe électrique.

LA VILLE

1) Les ouvriers démolissent un vieil hôtel.
2) Chacun tient une pioche à la main.
3) Cette auto ne s'est pas arrêtée aux feux rouges.
4) Un voleur grimpe sur le mur pour pénétrer dans la banque.
5) Un témoin court téléphoner pour prévenir la police.
6) Le piéton continue de traverser la rue, malgré le conseil de l'agent; il doit être fou.
7) Le bassin est entouré de bancs publics.
8) Il y a eu un accident au milieu de la rue, près du passage clouté.
9) Une ambulance transporte les blessés à l'hôpital.
10) Un groupe d'étudiants marche vers la mairie.
11) Tu vas au théâtre? Tu devras faire la queue.
12) On construit une horloge sur le tribunal.
13) Qui est la vedette du film qui passe au cinéma cette semaine?
14) Cette église ancienne date du quinzième siècle.
15) Cet homme et cette femme viennent de se marier.
16) Un aveugle à la canne blanche hésite au bord du trottoir.
17) Le monsieur riche plaint le pauvre mendiant et lui donne une pièce d'argent.
18) Cette auto a reculé au lieu d'avancer.
19) Le chauffeur s'est trompé; c'est sérieux.
20) L'agent siffle et agite son bâton.
21) Les commerçants vendent leurs produits dans le marché.
22) Un jeune homme regarde sa montre en attendant son amie sous le réverbère.

QUELQUES BOUTIQUES 1

A. A la boucherie-charcuterie

1) Le boucher nous offre du mouton mais c'est trop gras.
2) Ce morceau de bœuf est cru, c'est-à-dire, pas encore cuit.
3) Qu'est-ce que la charcuterie ? C'est de la viande de cochon.
4) Ce jambon, cette viande de porc et ces saucisses auront un goût excellent.

B. A la pharmacie

5) Les malades achètent les médicaments à la pharmacie.
6) Le pharmacien vend des comprimés d'aspirine pour guérir les maux de tête.
7) Avant d'aller en vacances, achetez des lunettes de soleil.
8) Cette crème protège votre peau, Madame.

C. A la librairie-papeterie

9) A une bonne librairie on peut choisir entre plusieurs journaux et revues.
10) Les romans les plus récents sont exposés dans la vitrine.
11) Quand j'ai besoin d'une nouvelle plume pour mon stylo, je vais à la papeterie.
12) Choisissez du papier et des enveloppes de qualité avant d'écrire des lettres importantes.

D. A la crémerie

13) On va à la crémerie quand on veut du fromage.
14) Le crémier a mis une bouteille de lait, un pot de crème et des œufs sur le comptoir.
15) «Et aussi une livre de beurre, s'il vous plaît.»
16) Je lui tends un billet de dix francs et il me rend la monnaie.

QUELQUES BOUTIQUES 2

A. A la boulangerie

1) Je vais à la boulangerie tôt le matin acheter du pain frais.
2) Le boulanger est un homme maigre au visage blanc.
3) On achète de la farine pour faire des gâteaux chez soi.
4) Les baguettes sont longues et minces.

B. A la quincaillerie

5) Mon père choisit des outils pour son atelier, par exemple, une scie.
6) Il décide d'acheter un marteau et aussi des clous, bien entendu.
7) Maman regarde les balais et les brosses.
8) «Il me faut aussi du cirage», se dit-elle.

C. A la pâtisserie-confiserie

9) Je pourrais dépenser tout mon argent à la pâtisserie-confiserie.
10) Nous allons partager ce délicieux gâteau.
11) J'ai envie de manger une de ces glaces.
12) J'aime bien le chocolat et les bonbons.

D. A l'alimentation générale

13) Il faut du sel quand on cuit des légumes.
14) L'épicier me vend un litre d'huile d'olive.
15) Je voudrais un kilo de tomates et une salade, s'il vous plaît.
16) Les bananes, les poires et les oranges sont délicieuses.

A LA CAMPAGNE

1) Nous sommes descendus de l'auto pour prendre notre déjeuner au bord de la route.
2) Le paysan nous salue et nous souhaite «bon appétit».
3) Papa coupe des tranches de pain et en donne à son fils.
4) Son fils répond: «Merci, papa, tu es bien gentil.»
5) «Passe-moi la bouteille de limonade, s'il te plaît, maman, là à côté du panier à provisions.»
6) «Quelle vue magnifique!» s'écrie maman.
7) «Aïe, une abeille m'a piquée au cou!»
8) L'ouvrier agricole sème du blé dans son champ.
9) Le village se trouve à deux kilomètres de l'endroit où nous sommes maintenant.
10) Vois-tu le cimetière sur la colline?
11) Il y a une forêt de pins au delà du village.
12) Regardez la belle cascade dans la montagne.
13) La rivière coule à travers la plaine.
14) Sa source doit être quelque part dans la montagne.
15) Un lac se trouve au fond de la vallée. Allons nous baigner!
16) Un chemin étroit traverse la prairie.
17) La vache mange l'herbe et nous regarde d'un œil curieux.

LE CAMPING

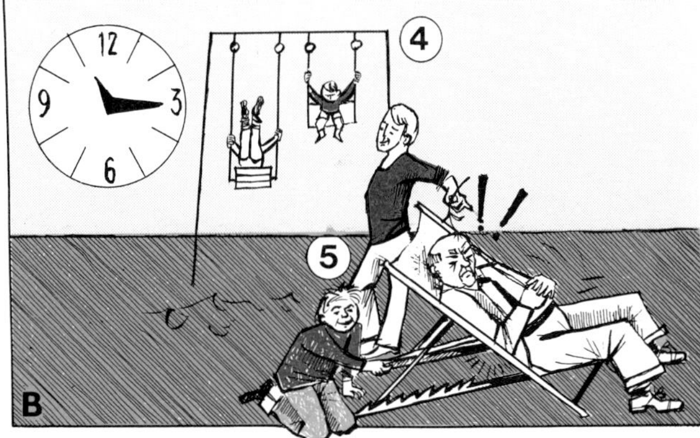

A. 1) Le propriétaire rencontre les campeurs et leur souhaite la bienvenue.
   2) Une caravane attend à l'entrée du terrain de camping.
   3) On a rangé beaucoup de choses dans le coffre de la voiture.

B. 4) Les petits s'amusent bien sur les balançoires.
   5) Ces méchants garçons dérangent le sommeil du monsieur âgé.

C. 6) Il est difficile de jouer au ping-pong quand le vent souffle.
   7) «Sais-tu jouer à la pétanque?» «Oui, faisons une partie!»

D. 8) On se rend à la buvette quand on a soif.
   9) «Prenez-vous du sucre dans votre thé?»
   10) «Non, merci, je préfère du citron.»

E. 11) La femme ne peut pas échapper à ses corvées. Elle doit préparer le repas.
   12) Sa fille l'aide en épluchant les pommes de terre.
   13) L'eau chaude est prête; elle bout dans la marmite sur le réchaud à gaz.

F. 14) Pendant qu'un jeune homme essaie de dresser la tente,
   15) un de ses camarades chasse les moustiques.
   16) Leur camarade s'inquiète plutôt de sa boîte de bière. Il ne peut plus trouver l'ouvre-boîte.

LES SPORTS

1) On joue au football avec un ballon rond.
2) Le rugby est un sport dur mais passionnant.
3) Il y a onze joueurs dans une équipe de hockey.
4) Dans la boxe les deux adversaires se donnent des coups de poing.
5) La lutte est un jeu violent et dangereux.
6) Le prix qu'on peut gagner dans une course de chevaux est énorme.
7) Quand je joue au tennis, la balle semble passer à travers ma raquette.
8) La natation exige beaucoup d'entraînement.
9) Les coureurs cyclistes passent la ligne d'arrivée à toute vitesse.
10) Quand nous jouons au basket-ball, nous lançons le ballon dans un panier qui se trouve à 3 mètres du sol.
11) Le ballon de volley-ball est très léger; on le pousse avec les doigts.
12) Il est agréable de faire de la voile dans un petit bateau.
13) A Mexico un athlète a réussi à faire le saut en hauteur en arrière.
14) Le poids est assez lourd (il pèse plus de 7 kilos).
15) Les coureurs sont fatigués à la fin d'une course très longue, comme le marathon.
16) Au Mans les autos de course roulent sans arrêt pendant 24 heures.

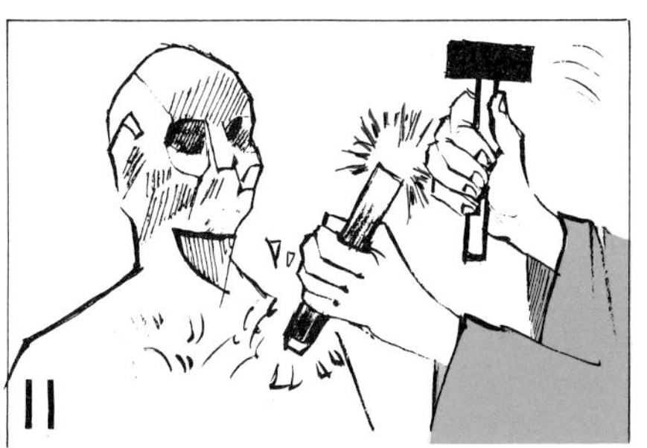

LES PASSE-TEMPS

1) J'aime faire des photographies.
2) Il est impossible de gagner tout le temps quand on joue aux cartes.
3) Ce jeune homme s'intéresse à la musique populaire.
4) Êtes-vous assez intelligent pour jouer aux échecs?
5) Je joue du violon mais je joue mal.
6) Un sourire lui vient aux lèvres; il écoute quelque chose d'amusant à la radio.
7) Quelquefois j'emmène ma petite amie au bal.
8) Taisez-vous! J'enregistre quelque chose au magnétophone.
9) On apprend à se débrouiller quand on fait du bricolage.
10) Quelques-uns prennent plaisir à discuter de politique.
11) Mon oncle aime sculpter sur pierre.
12) C'est curieux mais quelquefois j'aime faire mes études et apprendre mes leçons.

LE CHEMIN DE FER

1) L'étranger dit: «Pour aller à la gare, s'il vous plaît?»
2) L'agent lui répond: «Vous y êtes déjà. C'est à deux pas d'ici, Monsieur.»
3) Dans cette gare il y a une seule boutique: c'est le café-tabac.
4) On gardera vos valises à la consigne.
5) Un employé me vend un billet au guichet.
6) Le contrôleur empêche les gens sans billet de sortir.
7) Ce porteur charge les sacs de courrier dans le wagon.
8) Cet autre porteur décharge un chariot.
9) Le voyageur est arrivé en retard; le train est déjà parti.
10) Le départ du prochain train sera à treize heures trente.
11) Le chef de gare se tient au bout du quai pour surveiller le départ du train.
12) Le chef de train se penche par la portière et lui dit au revoir.
13) Le mari embrasse sa femme qui vient de descendre du train.
14) Le riche monsieur est dans un compartiment de première classe.
15) Le passage à niveau est fermé.
16) La voie ferrée passe sur le pont.

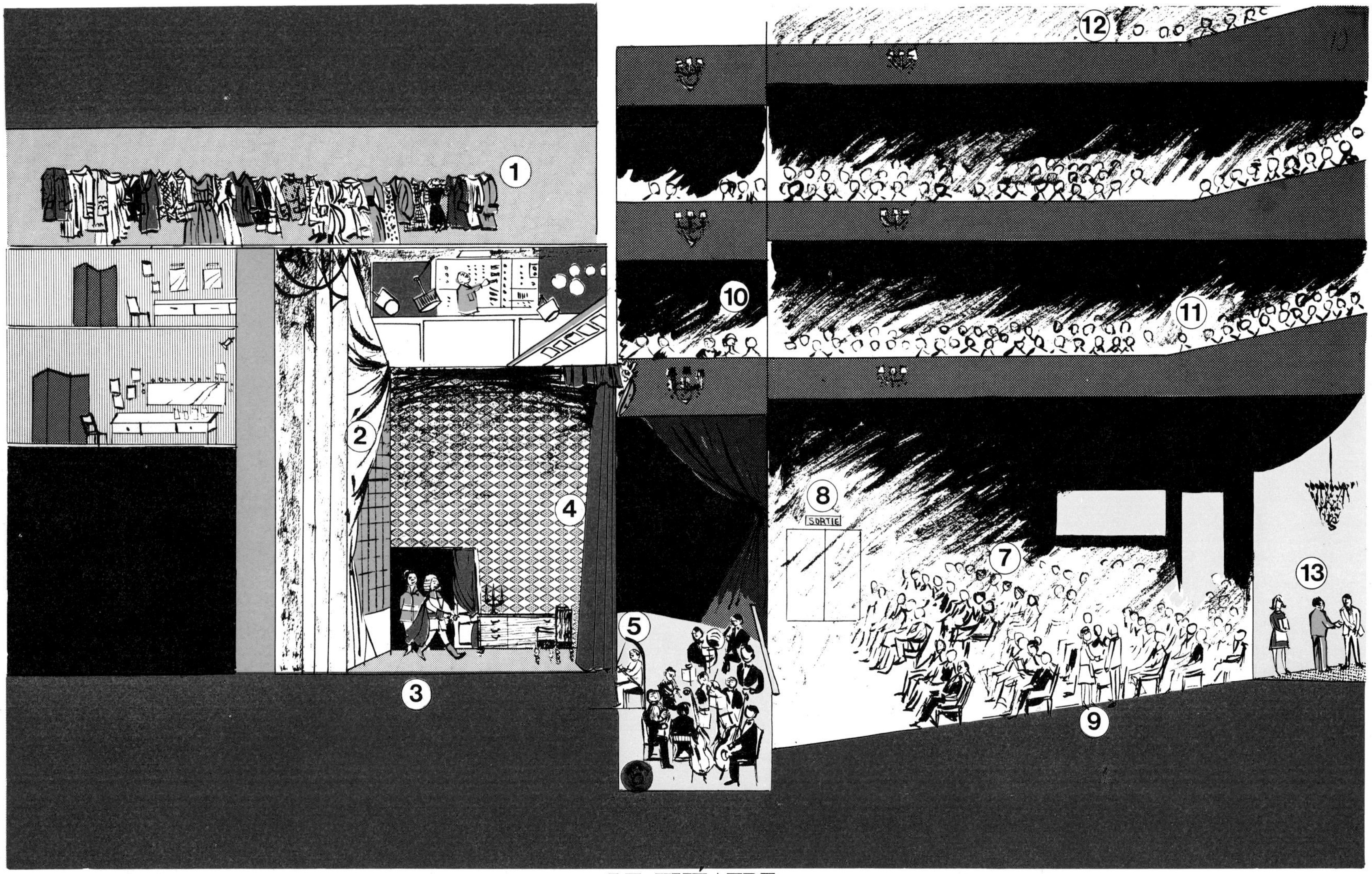

LE THÉATRE

1) Il y a des centaines de robes dans le magasin de costumes.
2) Le décor est peint sur la toile.
3) Les acteurs prennent place sur la scène.
4) Le rideau se lèvera au début de la pièce.
5) Le souffleur est prêt à aider les acteurs, si c'est nécessaire.
6) Les musiciens sont déjà dans la fosse d'orchestre.
7) Les fauteuils d'orchestre sont les places les plus chères.
8) La sortie est en face.
9) L'ouvreuse espère recevoir un pourboire.
10) Avez-vous jamais loué des places dans une loge?
11) Assis au premier rang du balcon, je pourrai tout voir.
12) A la galerie on ne voit pas grand'chose.
13) Prête-moi un franc pour acheter le programme, s'il te plaît!

QUELQUES ANIMAUX

1) Les serpents vivent surtout dans les régions chaudes.
2) C'est étonnant comment le perroquet peut apprendre à répéter tout ce qu'on lui dit.
3) La tortue n'est pas rapide mais elle arrive à la longue.
4) Ce singe ressemble sans doute à quelqu'un que vous connaissez.
5) Grâce à son long cou, la girafe peut manger les feuilles sur les arbres.
6) Les bosses du chameau contiennent la graisse qui le nourrit.
7) Quand un ours brun vous serre entre ses pattes, ce n'est pas par amour.
8) Le rhinocéros a une corne pointue. Il déteste les mouches près de ses yeux.
9) L'éléphant a des oreilles qui lui permettent d'entendre le moindre bruit.
10) Le loup est une bête dangereuse, surtout quand il a faim.
11) Le lion ressemble à votre chat, mais il est certainement plus féroce.
12) La grenouille vit dans une mare et dans l'herbe humide.

L'AGRICULTURE

1) Le cultivateur travaille dur dans la basse-cour de sa ferme.
2) Il porte du foin sur sa fourche.
3) Le chant du coq le réveille tous les matins de bonne heure.
4) La poule regarde le garçon qui prend ses œufs. «Ne les laisse pas tomber!»
5) Autrefois on tirait de l'eau du puits, mais de nos jours ce n'est plus nécessaire.
6) Avez-vous remarqué que la chèvre a une barbe blanche?
7) Si un taureau commence à vous poursuivre, sauvez-vous!
8) Les cochons semblent avoir toujours faim.
9) Le vétérinaire vaccine un veau malade.
10) Le canard se sert de son bec pour pêcher des poissons dans la mare.
11) Le chasseur tue un lapin d'un coup de fusil.
12) Au temps de la moisson on coupe le blé.
13) La récolte est bonne cette année.
14) Le tracteur tire la charrue quand on laboure le champ.
15) Les oiseaux suivent la charrue pour manger les insectes.
16) On doit cueillir les fruits quand ils sont mûrs.

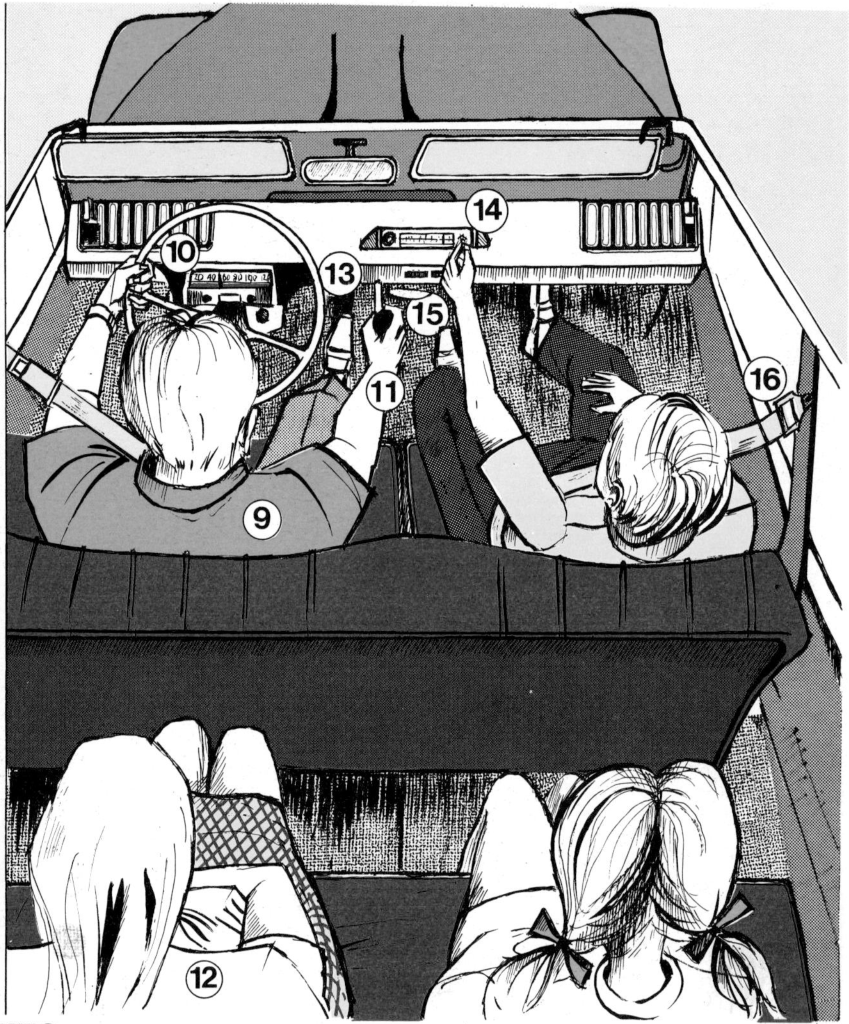

L'AUTO

A.

1) Nous nous sommes arrêtés à une station-service.
2) Le garagiste nous fait le plein d'essence.
3) Il va remplir le réservoir. «Pour vingt francs de Super, s'il vous plaît.»
4) Un mécanicien gonfle le pneu.
5) Mon père essuie le pare-brise. «Je pourrai mieux voir», dit-il.
6) Il n'a pas remarqué que le phare gauche est cassé.
7) Ma sœur a baissé la glace de sa portière.
8) «Maman, pourquoi ouvres-tu le coffre ?»

B.

9) C'est mon père qui conduit aujourd'hui—heureusement.
10) Il tourne le volant pour changer direction.
11) Il change de vitesse de la main droite.
12) Ma mère reste tranquille sur la banquette arrière.
13) Il faut appuyer doucement sur les pédales.
14) Je veux écouter les nouvelles à la radio.
15) En cas d'accident, je pourrais me servir du frein à main.
16) Les personnes sages portent toujours leur ceinture de sécurité.

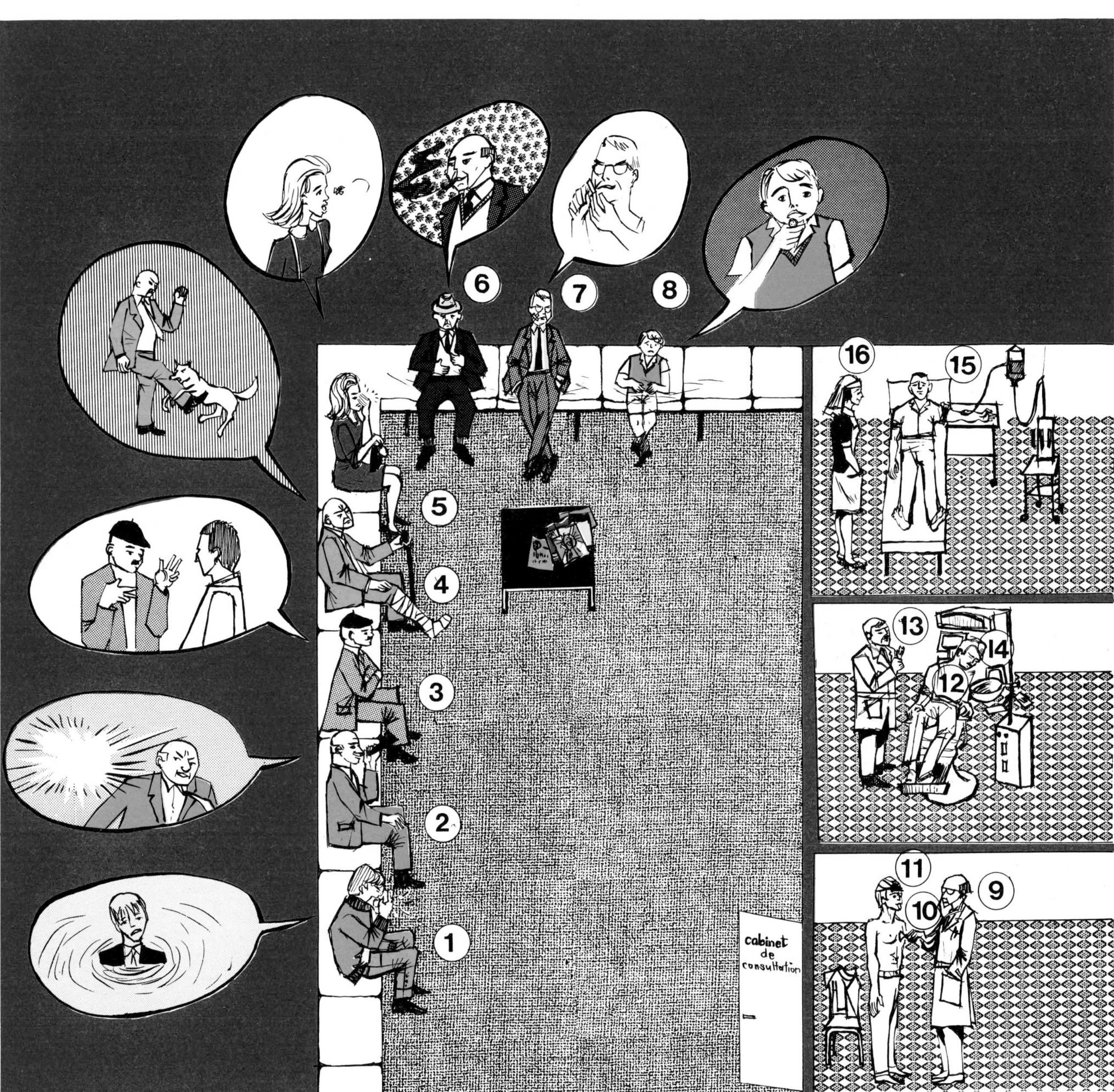

AU DISPENSAIRE

Dans la salle d'attente

1) Il tousse et il a de la fièvre; il s'est mouillé et a attrapé un rhume.
2) Il est sourd; il ne peut rien entendre.
3) Vous devriez plaindre ce pauvre homme; il est muet, pas un mot ne sort de sa bouche.
4) Il est blessé à la jambe; un chien l'a mordu.
5) Elle a mal au nez; une guêpe l'a piquée.
6) Il a mal à la poitrine; il fume des cigarettes.
7) Il s'est coupé à la joue; la lame de son rasoir a glissé.
8) Ce garçon a mal au ventre; il a avalé un bouton.

Dans les cabinets de consultation

9) Le médecin écoute le cœur du malade.
10) Le malade tire la langue.
11) Il a déjà un pansement au front.
12) Il n'a plus mal à la mâchoire;
13) Le dentiste a arraché la dent gâtée.
14) L'homme crache dans la cuvette.
15) Cet homme donne son sang pour les autres.
16) L'infirmière lui parle et le soigne.

LE CORPS

1) Ce jeune homme fait un effort terrible.
2) Il n'y a aucun mouvement dans le poids qu'il soulève.
3) Il a des jambes tout à fait solides.
4) A-t-il peut-être des genoux faibles ?
5) Il a les épaules larges et musclées.
6) Quelle force dans ses bras !
7) La fatigue commence à se montrer sur sa figure.
8) Et vous ? Auriez-vous de la peine à soulever un poids pareil ?
9) Cette jeune fille a les cheveux blonds.
10) C'est la fête nationale et elle va danser ce soir.
11) Elle a mis du rouge à lèvres.
12) Elle a de jolis yeux, n'est-ce pas ?
13) Elle se demande : «Suis-je belle ou suis-je laide ?»
14) Elle se coupe les ongles avec des ciseaux.
15) Il y a du coton et une aiguille sur la table.
16) Elle va coudre le tissu pour une nouvelle robe.

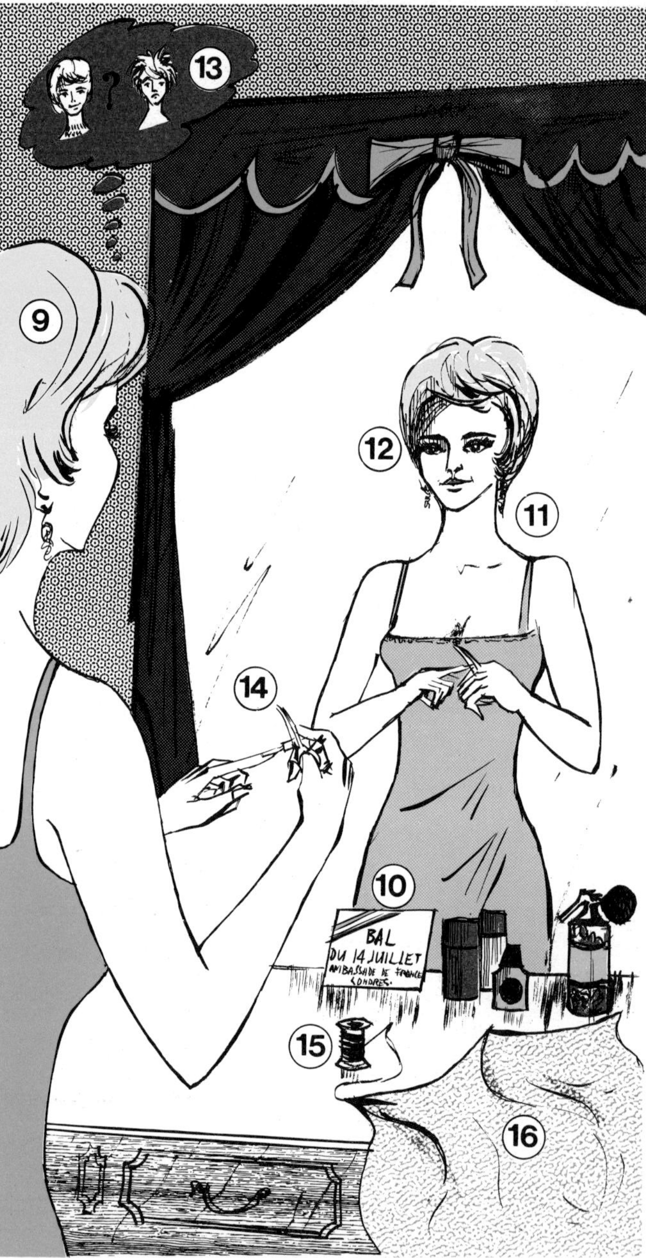

QUELQUES MÉTIERS ET PROFESSIONS

1) Le menuisier doit mesurer avec soin le meuble qu'il construit.
2) L'institutrice raconte une histoire à ses petits.
3) Le cordonnier répare les chaussures usées.
4) Le maçon en briques est vêtu d'une blouse.
5) D'habitude l'artiste fait le dessin au crayon avant d'ajouter la couleur.
6) Ce soldat s'est engagé dans l'armée pour le reste de sa vie; il doit avoir du courage.
7) Un directeur d'industrie arrange les affaires de son usine et gagne un bon salaire.
8) Un photographe doit comprendre son appareil pour avoir de bons résultats.
9) Le tailleur a la bouche pleine d'épingles.
10) Les forgerons, qui sont rares de nos jours, chauffent le fer dans un fourneau.
11) La femme de ménage n'est pas bien payée pour les services qu'elle rend.
12) Il a été nommé juge; il prendra des décisions justes selon la loi du pays.
13) Le jardinier taille le buisson qu'il a planté il y a un an.
14) Un ingénieur est un homme qui s'occupe des machines.
15) L'avocat plaide la cause du prisonnier et demande le pardon pour lui.
16) Le caissier prend le chèque de voyage, regarde votre passeport et vous remet votre argent.

LA DATE

Les douze mois de l'année

1) Le 21 janvier 1793, Louis XVI mourut, guillotiné à Paris.
2) Le 17 février 1673, Molière mourut après avoir présenté sa pièce «Le Malade Imaginaire».
3) Le 9 mars 1661, Louis XIV commença son règne comme roi de France.
4) Le 23 avril 1616, eut lieu la mort du plus célèbre poète dramatique d'Angleterre.
5) Le 30 mai 1431, Jeanne d'Arc fut brûlée vive à Rouen.
6) Le 18 juin 1815, l'armée de Napoléon fut écrasée par les Anglais à Waterloo.
7) Le 14 juillet 1789, les Révolutionnaires prirent la Bastille.
8) Le 25 août 1944, Paris fut libéré encore une fois.
9) Le 3 septembre 1939, la Deuxième Guerre mondiale commença.
10) Le 14 octobre 1066, Guillaume battit Harold à Hastings.
11) Le 11 novembre 1918, la paix revint en Europe.
12) Le 25 décembre 800, le pape couronna Charlemagne Empereur.

Les sept jours de la semaine

13) Le lundi, je suis triste; je rentre à l'école.
14) Le mardi, maman est fatiguée; elle a fait la lessive.
15) Ce mercredi, papa est heureux; il a eu de la chance: il a gagné un prix à la Loterie Nationale.
16) Le jeudi, je suis content; j'ai un jour de congé, je me promène.
17) Le vendredi, je suis travailleur; on doit quand même faire de son mieux.
18) Le samedi, je suis gai; à midi je suis libre; à bas le travail!
19) Le dimanche, je suis sérieux; je vais à l'église.

L'HEURE

1) Le réveille-matin sonne à six heures précises.
2) A la pendule de la cuisine, il est sept heures dix du matin.
3) A l'horloge de la gare, il est dix heures et quart du matin.
4) A la vieille montre, il est onze heures et demie du matin.
5) A l'horloge de l'école, il est midi.
6) A la montre-bracelet, il est midi et demi.
7) A l'horloge électrique, il est deux heures moins vingt-cinq de l'après-midi.
8) A la télévision, il est onze heures moins le quart du soir.
9) A la grande horloge de la mairie, il est minuit.
10) Je regarde le cadran lumineux de ma montre—il est minuit et demi.
11) Ma montre retarde de 10 minutes; j'ai dû oublier de la remonter.
12) Ma montre avance de 20 minutes; je serai obligé de la faire réparer.
13) La lune tourne autour de la Terre, qu'elle éclaire la nuit.
14) Les étoiles, qui sont innombrables, mettent quatre années pour nous envoyer leur lumière.
15) La distance de la Terre au Soleil est de 149,5 millions de kilomètres, à peu près.

LES VÊTEMENTS

L'homme

1) Un chapeau mou est très commode.
2) Sa veste noire vaut plus de cent francs.
3) Son tricot est vert foncé.
4) Il a une paire de gants en cuir.
5) Il tient un parapluie enroulé.
6) On préfère l'imperméable court aujourd'hui—c'est plus moderne.
7) Son pantalon gris est assez étroit, n'est-ce pas?
8) Ses chaussures noires sont neuves.

La femme

9) Son chapeau est décoré d'une plume.
10) Elle a un foulard de soie autour du cou.
11) Elle porte une chemisette vert clair.
12) Les poches de son manteau sont en diagonale.
13) Les manches sont très larges.
14) Sa jupe ne descend pas jusqu'aux genoux.
15) Les bas de laine sont à la mode.
16) Elle préfère les chaussures à talon haut.

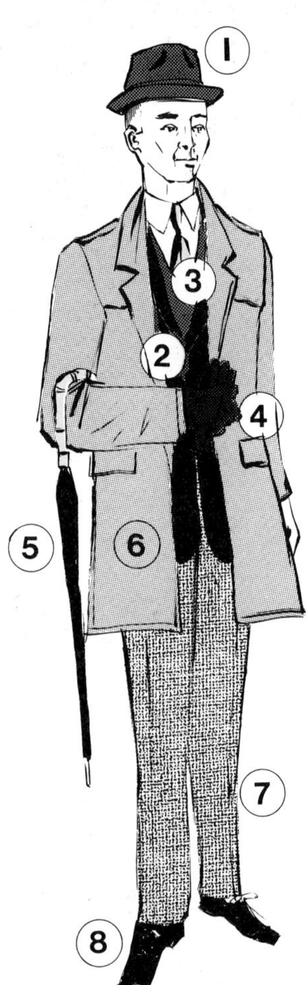

AU RESTAURANT

1) Toute la famille dîne au restaurant pour fêter l'anniversaire de maman.
2) Quel âge a-t-elle? Personne n'ose le dire.
3) Le patron du restaurant est un gros homme souriant.
4) Le maître d'hôtel s'occupe de ses clients. «Tout est comme il faut, Monsieur?»
5) Un autre garçon emporte les assiettes sales.
6) D'abord on a pris de la soupe.
7) Ensuite on a mangé de la viande.
8) Maintenant c'est papa qui commande le dessert.
9) «Je voudrais prendre du gâteau, s'il vous plaît. «Très bien, Monsieur.»
10) Après, on boira du champagne à la santé de maman.
11) Ils sont au restaurant depuis sept heures; le repas dure longtemps.
12) Le cadet de la famille n'est pas poli; il veut se lever de table.

LES MOYENS DE TRANSPORT

1) Cet avion vole à plus de 2 000 kilomètres à l'heure.
2) Cet autobus est bondé; il y a des passagers debout.
3) Un car dessert les grandes villes.
4) Les locomotives électriques ont remplacé les locomotives à vapeur.
5) C'est à cause de ses hélices qu'un hélicoptère peut décoller verticalement.
6) Le vélo est un moyen de transport pratique et peu cher.
7) La moto est une bicyclette munie d'un moteur.
8) Le paquebot arrive dans le port à la fin de son voyage transatlantique.
9) Le camion est dans le fossé; les planches qu'il transportait sont éparpillées un peu partout.
10) Le chauffeur de taxi est en colère à cause de l'embouteillage.
11) Le métro est un chemin de fer souterrain.
12) A l'avenir, les trajets dans les villes se feront en monorail.
13) La fusée interplanétaire nous transportera dans l'espace.
14) Il y aura bientôt une petite auto actionnée par une batterie électrique.
15) Il faut tirer fort sur les rames pour faire avancer un canot.
16) Un voyage à dos d'âne peut être long si cet animal entêté refuse de bouger.

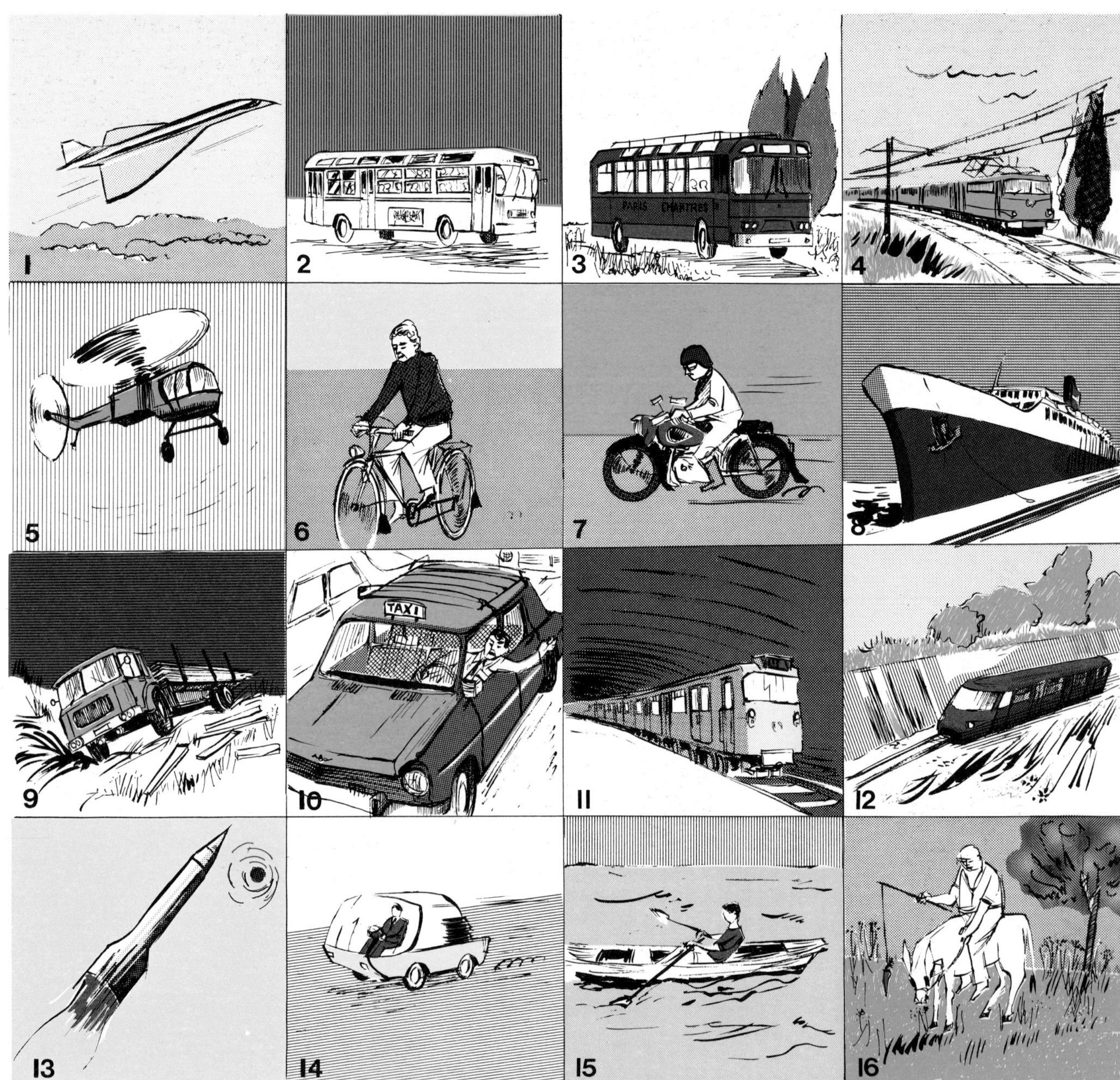

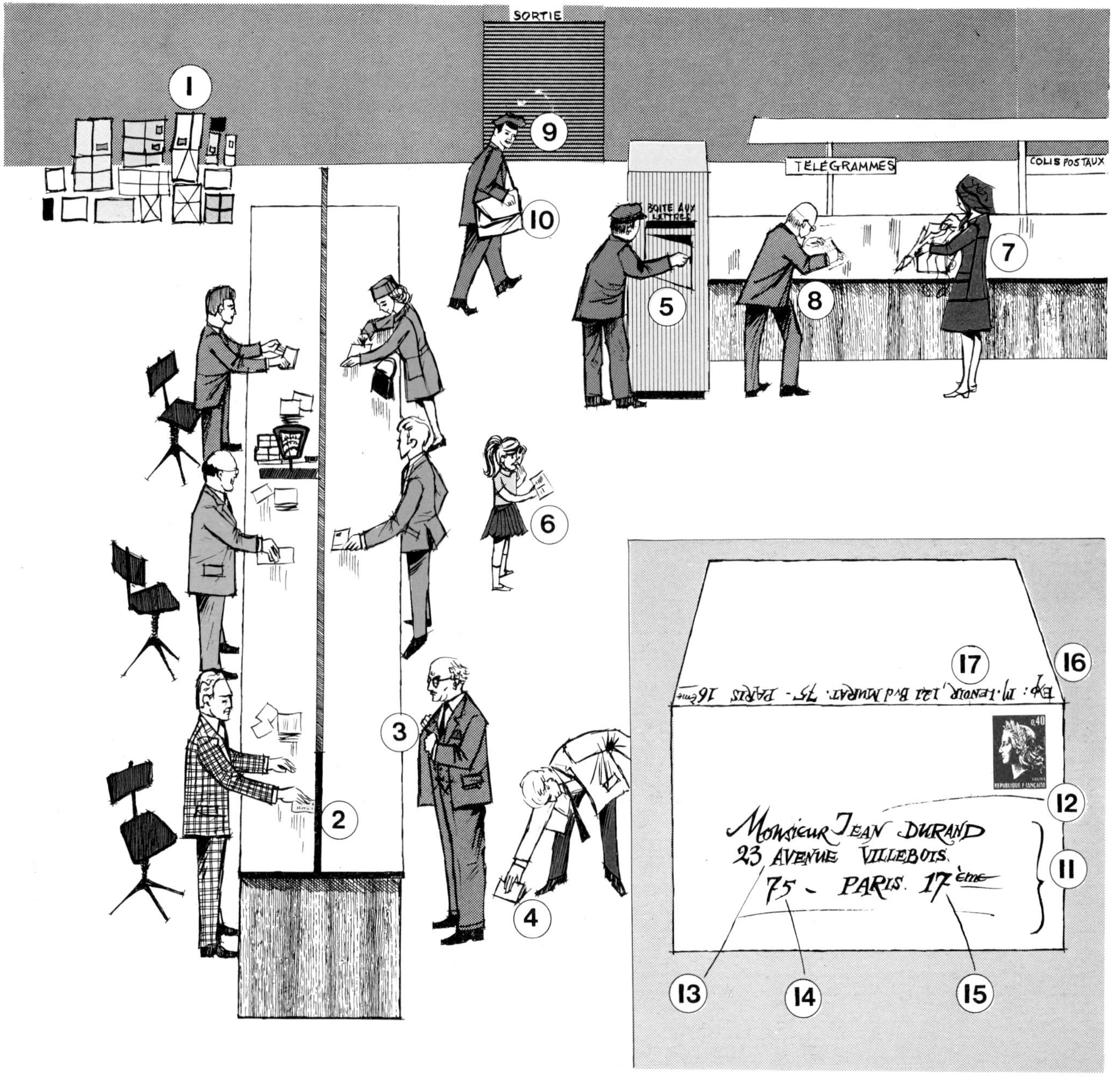

A LA POSTE

A.

1) Il y a un tas de colis postaux dans le coin.
2) Le vieux monsieur a acheté un mandat pour une grande somme d'argent.
3) «Ah zut! je ne peux trouver mon portefeuille nulle part.»
4) Il pense qu'il l'a perdu mais quelqu'un le ramasse sur le plancher.
5) L'employé ouvre la boîte aux lettres avec une clef.
6) La fillette colle un timbre sur la carte postale.
7) Cette dame enveloppe le paquet et l'attache avec la ficelle.
8) Cet homme veut envoyer un télégramme; c'est urgent.
9) Le facteur quitte la Poste pour distribuer le courrier.
10) «Ouf! que cette sacoche est lourde.»

B.

11) Voilà l'adresse du destinataire.
12) Jean est son prénom et Durand son nom de famille.
13) Il habite un appartement dans cet immeuble.
14) Soixante-quinze est le numéro du département.
15) Dix-sept est le numéro de l'arrondissement de Paris. (Il habite un beau quartier près de l'Arc de Triomphe de l'Étoile.)
16) Rappelez-vous bien: mettez l'adresse de l'expéditeur au verso.
17) L'expéditeur s'appelle Jean Lenoir.

QUELQUES PAYS

1) **La France**. Ce président de la République représentait la France aux yeux du monde.
2) **La Grande-Bretagne**. Elle sera bientôt reliée au Continent par le tunnel sous la Manche.
3) **La Russie**. La place Rouge est au centre de Moscou, la capitale.
4) **Les États-Unis.** Le gouvernement américain se trouve à Washington sur la côte est.
5) **L'Italie**. Les Italiens vivent sur une péninsule ensoleillée et agréable.
6) **L'Espagne**. De nombreux touristes vont voir les courses de taureaux en Espagne.
7) **L'Allemagne (de l'Ouest)**. Le Rhin est un fleuve de grande importance pour les Allemands.
8) **La Suisse**. En Suisse on parle français, allemand, italien et romanche.
9) **La Chine**. Les paysans chinois cultivent le riz.
10) **Le Japon**. Les habitants du Japon ont la peau jaune.
11) **La Grèce**. Le peuple grec aime l'art et la sculpture, que l'on trouve partout en Grèce.
12) **Le Canada**. Au Canada on produit d'énormes quantités de blé.
13) **La Belgique**. La moitié des Belges parle français et l'autre moitié parle flamand.
14) **L'Inde**. Les Indiens ont de la difficulté à défendre leur frontière contre les ennemis.
15) **L'Écosse**. Il paraît que les Écossais ont l'habitude de jouer de la cornemuse.
16) **L'Irak**. Papa, viens voir! Encore un puits de pétrole au fond du jardin!

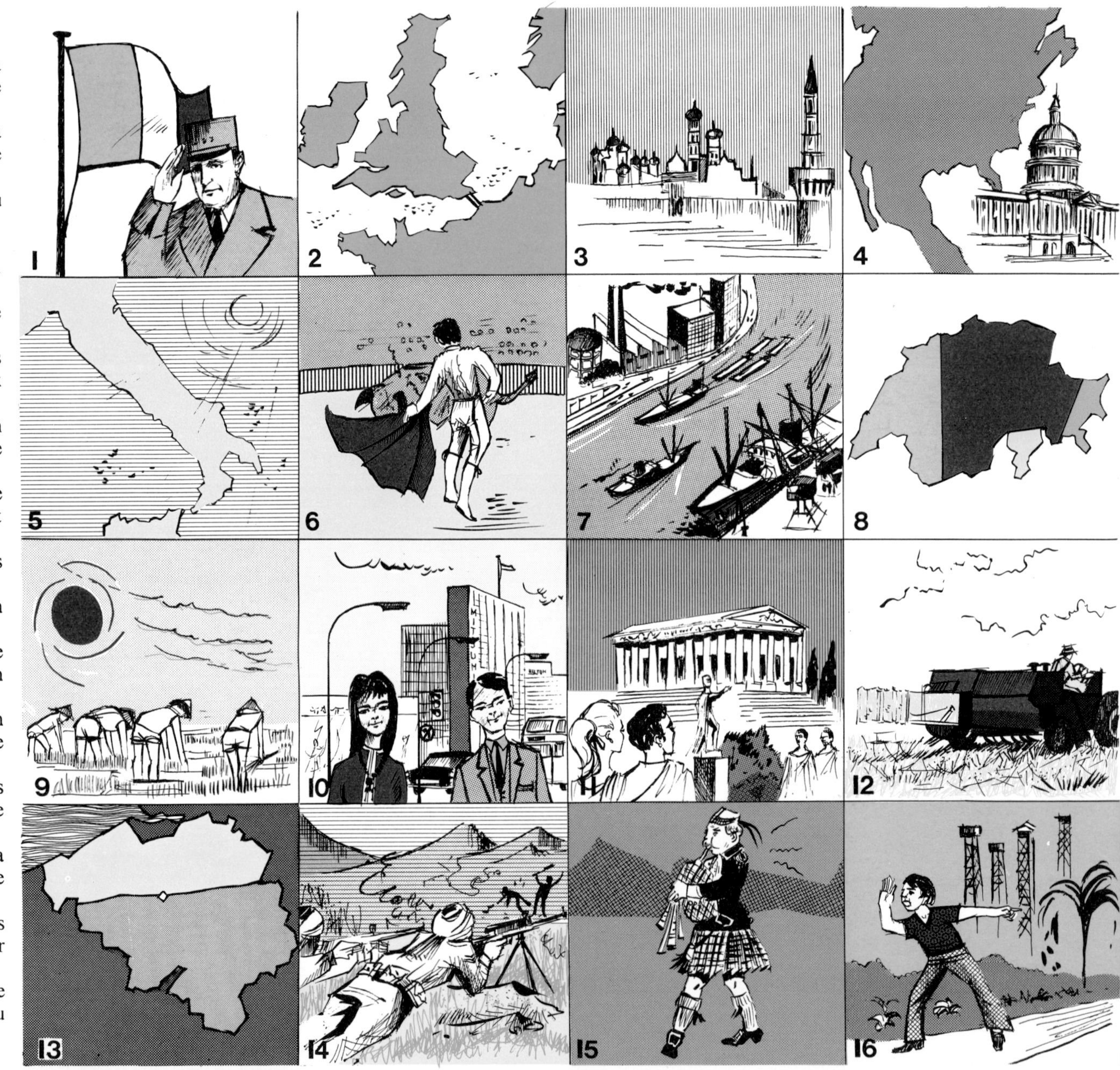

4 TRANSLATION INTO ENGLISH

NOTE TO TEACHERS

The "danger points" outlined here are just a few of those which usually cause trouble to pupils at the 'O' level stage. Every teacher will be able to expand these from his own experience and should encourage pupils to keep their own list of points to look out for.

There are more passages for unseen translation in the Supplementary Booklet (pages 4—6).

HINTS FOR PUPILS

1) **Translating into English in an examination**

a) Always read through the whole passage at least twice. Remember to read the title as this can often give you a vital clue.

b) When you start to translate, think out the whole sentence before you start to write.

c) Do not translate in a mechanical, word-for-word manner. Credit is always given for a translation which reads like good English. However, do not go to the other extreme of straying too far from the original.

d) If you come across a word you do not know, make a reasonable and intelligent guess but never distort a whole passage to make the facts fit in with a word you have only guessed.

e) When you have finished, read through the French again to make sure you have missed nothing out. Then read through your English version as though it were a piece of original English. Make careful corrections to anything that sounds un-English.

2. **Danger points**

Pay special attention to points like the following:

a) **Possessive**

i) The French show possession by the use of *de* where the English use the apostrophe.

le père de Michel	Michael's father
la mère des garçons	the boys' mother

For practice: *J'ai entendu le cri de Jean.*
Voilà le cadeau de mes frères.
Où sont les lunettes de l'enfant?
J'ai perdu les livres des enfants.

ii) In English we use the possessive adjective with parts of the body where the French use the definite article.

Elle s'essuya la bouche. She wiped her mouth.

For practice: *Il se lave les mains.*
Elle s'est coupé le doigt.
Nous nous sommes brossé les dents.

b) **Present Participle**

i) The French frequently use *en* + a present participle where the English would use a clause beginning with **while** or **as.**

Il a fait ses devoirs en regardant la télévision. He did his homework while he was watching television.

For practice: *Elle travaillait toujours en nous parlant.*
Il essayait de lire en attendant l'autobus.
En traversant la France nous nous sommes arrêtés à Paris.

ii) To stress the idea that two things are going on at the same time, the French use *tout en* + present participle.

Elle faisait la lessive tout en chantant. She was doing the washing and singing at the same time.

For practice: *Il souriait tout en nous disant que nous avions tort.*
Il mangeait tout en lisant son journal.

iii) The French use a verb + *en* + present participle where the English use a verb + adverb or preposition.

Il traversa le champ en courant. He ran across the field.

For practice: *Je descendis en courant au rez-de-chaussée.*
Il est sorti de la maison en se dépêchant.
Il a monté l'escalier en sautant.

c) **Infinitive**

i) The French use the infinitive after a preposition where the English translator should use a present participle.

Au lieu de porter le panier, elle l'a laissé dans la voiture. Instead of carrying the basket, she left it in the car.

For practice: *Il a travaillé trois jours sans s'arrêter.*
Avant d'arriver, elle a envoyé une lettre.
Au lieu de chanter, elle a crié.
Il a commencé par rire.

ii) The French use an infinitive after verbs of perception (seeing, hearing etc.) where the English must use a different construction, frequently a present participle.

Elle l'entendit entrer. She heard him coming in.

For practice: *Je l'ai entendu respirer.*
J'ai vu mon père partir.
Il écoutait jouer ses enfants.
Nous regardâmes le voleur approcher.

d) **Past participle**

i) Some past participles in French have to be translated by a present participle in English.

Je l'ai trouvé assis dans un fauteuil. I found him sitting in an armchair.

For practice: *Il était couché sur le lit.*
Elle était tapie derrière le canapé.
Appuyé sur mes épaules, il regarda par la fenêtre.
Agenouillée devant le feu, elle pleurait.

ii) A construction with a past participle usually has to be translated into English with a clause in the pluperfect tense.

Arrivée à la gare, ella acheta son billet. When she had arrived at the station, she bought her ticket.

For practice: *La casserole ôtée, les cheveux de Paul apparurent très irréguliers.*
Robert, resté orphelin à la suite d'un accident, travaillait chez un fermier.
Son travail achevé, il partit en vacances.

e) **Passive**

The Passive is more frequently used in English than in French.

On a ouvert les fenêtres. The windows have been opened.
Les œufs se vendent à la crémerie. Eggs are sold at the dairy

For practice: *On avait besoin de lui.*
Elle s'est fait écraser.
Les voyages se feront en monorail.

f) **Tense**

Note particularly the discrepancy in tenses between the two languages after temporal constructions.

Quand papa viendra, je lui parlerai. When father comes, I shall speak to him.

Après qu'il aura fini son repas, nous sortirons ensemble. When he has finished his meal, we shall go out together.

For practice: *Quand tu arriveras à la maison, n'oublie pas d'ouvrir les fenêtres.*

Après que vous vous serez lavés, vous pourrez vous mettre à table.

g) **Word-order**

The French use inversion in circumstances where the English do not.

«Que je suis sot!» me suis-je dit. "How stupid I am!" I said to myself.

For practice: *Peut-être croyait-il qu'il avait raison.*

Sans doute avait-il prévu ce problème.

Regardez le paysan que porte le cheval.

A peine fut-il arrivé que je partis.

h) **With**

With is a most useful word to translate many French prepositions and frequently expressions where there is no preposition in French.

Le sourire aux lèvres With a smile on his lips

il marchait à pas lents. he was walking with slow steps.

For practice: *Ils descendaient la rue à longues enjambées.*

Elle entra, un enfant dans les bras.

Le pied bandé, il entra en boitant.

Regardez le vieillard au nez rouge.

Sa casquette à la main, il s'installa devant l'instituteur.

i) **It**

French and English usage differs in the use of **it** and the equivalent *le.*

Je trouve difficile de comprendre pourquoi il n'est pas venu. I find it difficult to understand why he has not come.

Est-ce que les gâteaux sont brûlés? Oui, ils le sont. Are the cakes burnt? Yes, they are.

For practice: *Comme vous le savez, je partirai demain.*

Je trouve impossible de croire cela.

Je suis prêt à partir pour l'Afrique, dès que vous le voudrez.

j) **For**

Be careful with the tense in these constructions.

Elle tenait le livre depuis quelques secondes. She had been holding the book for a few seconds.

Il est là depuis une heure. He has been there for an hour.

For practice: *Je suis à Paris depuis plusieurs années.*

J'étais installé depuis 15 jours dans un hôtel.

Il y a une heure qu'elle est partie.

k) **Idioms**

It is almost always impossible to do a word-for-word translation of an idiom (colloquial expression, metaphor, proverb etc.) You must make your own collection. Here are a few to start you off:

Il s'est levé du pied gauche. He got out of bed on the wrong side.

Avoir une araignée au plafond to have a bee in one's bonnet

Faire d'une pierre deux coups to kill two birds with one stone

Trempé jusqu'aux os soaked to the skin

Bâtir des chateaux en Espagne to build castles in the air

Ne vendez pas la peau de l'ours avant de l'avoir tué. Don't count your chickens before they're hatched.

PASSAGES FOR TRANSLATION INTO ENGLISH

1. A disturbed night

Il s'assit sur le bord du lit, sembla réfléchir un moment, haussa les épaules et, s'étant levé, se déshabilla. Quelques minutes après, il soufflait la lanterne et se couchait. De son lit, il vérifia dans l'obscurité qu'il pouvait atteindre son sabre et ses pistolets à la moindre alerte, sans tâtonner. Dans cette obscurité, dans ce silence, il resta quelque temps sans pouvoir s'endormir.

Au bout d'une heure, rien ne bougeant plus, le voyageur s'assoupit et perdit toute conscience.

Il fut brusquement arraché à ce sommeil par un léger bruit, contre la porte de sa chambre. Il ne put se rendre compte de l'heure qu'il était ni du temps qu'il avait passé à dormir. Il se souleva sur son lit, tendit l'oreille, allongea le bras vers la chaise, sentit la poignée de son sabre, hésita, tâtonna un instant, cherchant la crosse de son pistolet, se ravisa, prit son sabre, pivota sur son lit et attendit.

Contre la porte, le grattement s'interrompait, reprenait, devenait plus fort et s'arrêtait alors brusquement.

(*André Chamson, L'Auberge de l'Abîme, Harrap*)

2. The joys of being a pilot

Il fait un triste temps. J'ai pu cependant piloter à Orly dimanche. J'ai fait un bien beau vol. Maman, j'adore ce métier. Vous ne pouvez imaginer ce calme, cette solitude que l'on trouve à quatre mille mètres en tête à tête avec son moteur. Et puis cette camaraderie charmante en bas, sur le terrain. On dort couché dans l'herbe en attendant son tour. On suit des yeux le camarade dont on attend l'avion et l'on raconte des histoires. Elles sont toutes merveilleuses. Ce sont des pannes en campagne près de petits villages inconnus où le maire ému et patriote invite à dîner les aviateurs . . . et des aventures de contes de fées. Elles sont presque toutes inventées sur place mais tout le monde s'émerveille et quand on décolle à son tour, on est plein d'espérance. Mais il n'arrive rien . . . et l'on se console à l'atterrissage par un verre de vin, ou en racontant: «Mon moteur chauffait, mon vieux, j'ai eu peur. . . . .»

(*Lettres de Saint-Exupéry, Librairie Gallimard*)

3. Christmas night in Paris

Pour d'autres, la nuit de Noël devait avoir une saveur spéciale. Des centaines de milliers de Parisiens s'étaient engouffrés dans les théâtres, dans les cinémas. Des milliers d'autres avaient, jusque très tard, fait leurs emplettes dans les grands magasins où des vendeurs aux jambes molles s'agitaient comme dans un cauchemar devant leurs rayons presque vides.

Il y avait, derrière les rideaux tirés, des réunions familiales, des dindes qui rôtissaient, des boudins, sans doute préparés selon une recette familiale, soigneusement transmise de mère en fille.

Il y avait des enfants qui dormaient fiévreusement et des parents qui, sans bruit, arrangeaient des jouets autour de l'arbre.

Il y avait les restaurants, les cabarets où toutes les tables étaient retenues depuis huit jours. Il y avait, sur la Seine, la péniche de l'Armée du Salut où les clochards faisaient la queue en reniflant de bonnes odeurs.

(*Simenon, Sept Petites Croix dans un Carnet, Harrap*)

4. A baby's view of animals

Les enfants aiment les bêtes. Je vais vous dire pourquoi: les bêtes ont un cerveau ignorant et naïf, de sorte que les petits enfants les aiment parce qu'ils sentent qu'elles leur ressemblent.

Il y a l'âne aux grandes oreilles qui bougent. Il y a le bœuf et la vache qui sont si pacifiques que l'on dirait que le bœuf est le mari et que la vache est la femme. Il y a les bons moutons couverts de laine. Il y a les poules qui sont un peu folles. Mais il y a surtout les petits veaux que l'on aime parce qu'ils sont des enfants. On m'apprit à les connaître. Lorsqu'on sait imiter les bêtes, on les connaît bien mieux.

— Comment fait le petit âne? — Hi han!

— Le petit veau? — Meu eu eu. . . . .

— La poule? — Kate kadette!

Ainsi je reconnaissais les objets pour les avoir vus et pour les avoir touchés. Je mangeais des aliments solides. Je connaissais des soldats. J'imitais les animaux. Je percevais toutes sortes de choses dans la vie. J'avais quinze mois et j'étais fort. Et donc, attiré par ce qui m'entourait, je devais marcher.

(*Charles-Louis Philippe, La Mère et l'Enfant,* © *Éditions Gallimard*)

5. An unpleasant impression of school

C'était un grand lycée de pierre où j'ai beaucoup souffert. Les pierres des lycées neufs sont froides et les lycées neufs sont pleins de pierres. Une galerie faisait le tour de chaque étage, dont les dalles sonnaient sous nos talons comme des pierres qui parlent. Parfois, il n'y avait pas de pierres, mais c'est qu'alors il y avait des fenêtres. Les fenêtres étaient grandes, pleines d'air et pleines de vent. Fenêtres des lycées, vous vous ouvrez sur des cours, vous êtes grandes et vides, avec deux ou trois petits arbres et vous êtes grandes et vides comme un désert. Vous êtes trop claires encore, et nous n'avons pas besoin de cette clarté dans nos salles parce qu'elle nous montre trop bien le silence, les livres et la discipline. Mais les dortoirs! Les dortoirs étaient cirés et rangés et froids. Trois rangs de lits égaux, des fenêtres égales et des lavabos à cuvettes se tenaient raides et durs en un alignement qui faisaient deviner la règle. Le sommeil qu'on y dort est un sommeil ordonné, sous l'œil d'un pion,* et qui ne ressemble pas du tout à un ange.

(*Charles-Louis Philippe*, *La Mère et l'Enfant*, © *Éditions Gallimard*)

* supervisor

6. Life on a "deserted" island

Longtemps je dus rester dans le sommeil.

Comment fus-je éveillé? Je ne sais. Quand j'ouvris les yeux, étonné de me retrouver sous ce buisson, le soleil était bas, et l'après-midi touchait à sa fin. Rien ne semblait changé autour de moi. Et cependant je restais immobile, au fond de ma cachette, dans l'attente de quelque événement. Tout à coup, au milieu de l'île, entre le feuillage des arbres, s'éleva un fil de fumée, pur, bleu. L'île était habitée. Mon cœur battit. J'observai avec attention le rivage opposé, mais vainement. Personne n'apparut. Au bout d'un moment la fumée diminua; elle semblait se retirer peu à peu dans les arbres, comme si la terre invisible l'eût absorbée. Il n'en resta rien.

Le soir tombait. Je sortis de ma retraite et revins à la plage.

Ce que je découvris m'épouvanta. A côté des premières traces que j'avais remarquées sur le sable, d'autres, encore fraîches, marquaient le sol. Ainsi pendant que je dormais, quelqu'un était passé près de mon refuge. M'avait-on vu?

(*Henri Bosco*, *L'Enfant et la Rivière*, *Harrap*)

7. A young man brings bad news

C'est plus tard que quelqu'un gratta à la fenêtre, et je m'éveillai.

Je n'eus pas peur, mais tout de suite mon cœur battit.

— C'est lui, me dis-je. Il est revenu.

Je sautai de mon lit et courus à la fenêtre.

Je demandai:

— C'est toi, Gatzo?

Une voix murmura mon nom, elle était un peu rauque, mais je la reconnus.

— J'ai beaucoup à te raconter, me dit Gatzo.

Dans sa chambre, Tante Martine soupira.

— Attends, dis-je à Gatzo. Il vaut mieux aller jusqu'au puits.

Je passai dehors et on alla au puits. La lune se levait paisiblement au bout de la prairie. Alors Gatzo commença à parler. Il me raconta toute son histoire. Je l'écoutai, ému. Tout à coup il se tut.

— Et puis? lui demandai-je.

Il me répondit simplement:

— Grand-père Savinien est mort.

Je lui pris la main.

A ce moment Tante Martine ouvrit doucement ses volets. Nous vit-elle?

Elle m'appela:

— Pascalet, mon petit, avec qui parles-tu?

(*Henri Bosco*, *L'Enfant et la Rivière*, *Harrap*)

8. A detective at work

Je remerciai M. Boquillon-Wagner et retournai au 26. Il était deux heures. Je téléphonai aussitôt à M. Picard.
— Je viens de découvrir quelque chose d'extraordinaire, lui dis-je. Impossible de vous en parler au téléphone. Pouvez-vous m'envoyer quelqu'un avec les clefs qui ont été trouvées sur le cadavre? Je suis rue de Crimée.
Le chef répondit simplement:
— On va te les apporter tout de suite.
Je montai au second, essayai d'ouvrir la porte. Je n'y parvins pas, elle était fermée. Je descendis à la loge, bouillant d'impatience, et je m'en allai même sur le pas de la porte, afin de guetter l'arrivée des clefs. Mme Morin m'y accompagna. Elle murmura timidement:
— Ça s'éclaire-t-il?
Je lui répondis d'un signe affirmatif, pour me donner du courage. Puis je demandai:
— Ce locataire du second devait avoir une domestique, ou du moins, puisque l'appartement est petit, une femme de ménage?
— Probable, déclara Mme Morin, je n'en sais rien.

(*Claude Aveline, La Double Mort de Frédéric Belot, Harrap*)

9. The strange fisherman

Enfin ils aperçurent un homme étendu de tout son long sur les dalles, la tête dans ses bras repliés.
— Qui êtes-vous? demanda Irène.
L'homme redressa la tête, puis péniblement se leva. C'était un vieillard vêtu d'habits rapiécés.
— Le pêcheur, dit Irène.
— Que pensez-vous de ce temps? demanda Julien sans réfléchir.
L'homme souriait dans sa barbe blanche:
— Bien des années que je n'ai vu un temps pareil.
Il regarda Julien et Irène avec une grande attention. Eux demeuraient silencieux devant lui.
— Comment êtes-vous venus ici?
C'était bien difficile à expliquer. Néanmoins Julien expliqua. Il fut étonné lui-même de le faire en peu de paroles, comme si c'était tout simple. Quand il eut terminé, l'homme pencha la tête.
— Je ne savais pas tout cela, dit-il enfin. J'ai vécu ici très retiré. Je n'allais guère à l'auberge que pour acheter quelques provisions et vendre ma pêche.

(*André Dhôtel, L'Ile aux Oiseaux de Fer, Harrap*)

10. The end of the summer holidays

— Mais voyons, disait ma mère, tu sais bien que ça ne pouvait pas durer toujours! Et puis, nous reviendrons bientôt . . . Ce n'est pas bien loin, la Noël!
— Oui, dit l'oncle, les vacances sont finies!
Et il se versa paisiblement un verre de vin.
Je demandai, d'une voix étranglée:
— C'est fini quand?
— Il faut partir après-demain matin, dit mon père. Aujourd'hui, c'est vendredi.
— Ce **fut** vendredi, dit l'oncle. Et nous partons dimanche matin.
— Tu sais bien que lundi, c'est la rentrée des classes! dit la tante.
Je fus un instant sans comprendre, et je les regardai avec stupeur.
— Voyons, dit ma mère, ce n'est pas une surprise! On en parle depuis huit jours!
C'est vrai qu'ils en avaient parlé, mais je n'avais pas voulu entendre. Je savais que cette catastrophe arriverait fatalement, comme les gens savent qu'ils mourront un jour: mais ils se disent: Ce n'est pas encore le moment d'examiner à fond ce problème. Nous y penserons plus tard.

(*Marcel Pagnol, Le Château de ma Mère, Éditions Pastorelly*)

11. A mother waits anxiously for her son's return

Voyant qu'il était six heures et demie, Madame Buge eut peur. Antoine ne s'attardait jamais lorsqu'il se savait attendu, et, à midi, elle l'avait prévenu qu'elle ne rentrerait pas après cinq heures. Plusieurs fois elle sortit sur le palier, dans l'espoir qu'un bruit de pas mettrait fin à son attente anxieuse. Elle finit par laisser la porte entrebâillée. Ce fut par la fenêtre qu'elle entendit appeler son nom. Du fond de la cour étroite, sa voix montant comme dans une cheminée, la concierge criait: «Eh! Buge . . . . .» Dans la loge l'attendait un agent de police qui parlait avec la concierge. En le voyant, elle comprit qu'il s'agissait d'Antoine. Son entrée fut accueillie par un silence compatissant.
— Vous êtes la mère d'Antoine Buge? dit l'agent. Il vient d'arriver un accident à votre fils. Je crois que ce n'est pas bien grave. Il est tombé avec d'autres enfants dans un fossé. Je ne sais pas si c'était profond, mais par ces froids, la terre est dure. Ils se sont blessés. On a emmené le vôtre à l'hôpital Bretonneau. Vous pouvez peut-être essayer de le voir ce soir.

(*Marcel Aymé, Les Bottes de Sept Lieues,* © *Éditions Gallimard*)

12. Early morning impressions of an old Breton town

Un matin de décembre, après une nuit de voyage, le train venant de Paris les avait déposés, son père et elle, à Guingamp, au petit jour brumeux et blanchâtre, très froid. Alors elle avait été saisie par une impression inconnue: cette vieille petite ville, qu'elle n'avait jamais traversée qu'en été, elle ne la reconnaissait plus; elle y éprouvait comme la sensation de plonger tout à coup dans ce qu'on appelle, à la campagne: *les temps*—les temps lointains du passé. Ce silence, après Paris! Ce train de vie tranquille de gens d'un autre monde, allant dans la brume à toutes leurs petites affaires! Ces vieilles maisons en granit sombre, noires d'humidité; toutes ces choses bretonnes—qui la charmaient à présent qu'elle aimait Yann—lui avaient paru ce matin-là d'une tristesse bien désolée. Des ménagères ouvraient déjà leurs portes, et, en passant, elle regardait dans ces intérieurs anciens, à grande cheminée, où se tenaient assises des vieilles qui venaient de se lever. Dès qu'il avait fait un peu plus jour, elle était entrée dans l'église pour dire ses prières.

(*Pierre Loti, Pêcheur d'Islande, Harrap*)

13. A cool welcome

— Ho, là-dedans. . . . .

La porte de l'auberge, après quelques secondes, s'ouvrit lentement. Un homme parut, petit de taille, la tête ronde, et annonça qu'une chambre était libre. L'écurie était derrière. L'homme rentra dans la maison et referma la porte. Le lieutenant hésitait à descendre de cheval. Rien, dans ce lieu désert, ne lui inspirait confiance. Soudain une forme sortit de l'autre côté du bâtiment. C'était l'ancien soldat qu'il avait déjà rencontré il y avait une dizaine de minutes et qui faisait le domestique ici à l'auberge.

— Le village prochain, c'est à combien d'heures?

— Comptez sur une heure, mon lieutenant. Mais la nuit se ferme. . . . .

L'officier, en sautant à terre, décida de rester. Il prit avec lui, ses armes, deux pistolets, presque invisibles quand il avait été à cheval.

— Rentre la bête, dit-il, pensant que l'accueil était froid dans ces montagnes. Décidément on n'aimait pas les militaires!

Le lieutenant monta l'escalier de pierre en glissant sur les marches usées. Sur la petite terrasse il poussa la porte et jeta un coup d'œil dans la salle.

(*London, Summer* 1966)

14. Will Philippe go?

Il fermait les volets, lorsque sa tante frappa à sa porte et, sans attendre la réponse, entra. Il se retourna. Il la vit, à la lumière d'une petite lampe qui brûlait sur la table, traverser la chambre, venir à lui. Il demanda:

— Qu'y a-t-il?

Elle sourit.

— Je venais m'assurer que tu n'avais besoin de rien.

Il la considéra avec étonnement. Elle s'assit lentement sur le rebord du lit.

— Et puis j'avais à te parler.

Déjà il était sur ses gardes. Il ferma la fenêtre, s'approcha.

— Oh! rien de grave, dit-elle. Je voulais simplement te demander quand tu comptais partir.

Il hésita.

— Je n'y ai pas encore pensé.

La voix de sa tante n'était plus qu'un murmure.

— Philippe, j'aurais voulu te cacher la véritable raison qui me pousse à te conseiller de nous quitter, mais Madame Dupré m'a fait comprendre que ta présence ici l'embarrassait. Ah! Philippe, cela m'ennuie de te parler ainsi.

Il alluma une cigarette.

— Que c'est fâcheux! Il faudra que je réfléchisse. Demain on verra. J'ai tellement sommeil. . . . .

(*London, Summer* 1967)

5 WRITING IN FRENCH

NOTE TO TEACHERS

1) This section has been sub-divided as follows:
   a) *Histoires illustrées*
   b) Free composition
      i) short story based on outline
      ii) short story
      iii) essay based on discussion topic
      iv) letter
   c) Reproduction outlines
2) Whatever type of essay you are preparing for, the following is good advice:
   a) See that the work is gone over beforehand in class: the weaker the class, the more detailed the preparation.
   b) Ensure that your pupils go home with a very clear idea of what they are expected to produce next day. An essay is homework only in the sense that it is written up at home from a plan prepared in school.
   c) In this field it pays to stimulate competition. The best efforts can be read out and discussed. For the best pupils, no standard ever represents the ultimate. They can always improve on what they have written.
   d) See your marking scheme rewards enterprise and is detailed enough to give real help to the pupils when they try to understand and put right their mistakes. Too many corrections are self-defeating and reveal inadequate preparation.
3) Don't let this branch of the subject become isolated from the rest. Make every effort to forge links on these lines:
   a) With *histoires illustrées*, get the class to discuss some of the *sans paroles* at the back of French magazines.
   b) With the story type, introduce some easy *contes* selected from readers. Maupassant is just about within the range of a good form.
   c) Bring in cuttings from French newspapers, or play parts of BBC French for Sixth Forms broadcasts to help with the work on discussion type essays.
   d) For letter writing, get the class to produce letters from their own French correspondents and use your own mail to break the ice. Letters can be written to *Syndicats d'Initiative* in connection with project work or material for a wall newspaper.

HINTS FOR PUPILS

How to write

1) Don't write anything until you have a clear idea of how your essay is going to be planned.
2) Start a plan first with five or six paragraph headings and then put in a few key sentences under each heading.
3) Expand your outline into a rough copy and go through this, looking for ways of improving it and for any mistakes before you start on the next stage.
4) Write up your fair copy with the greatest possible care. Your greatest enemy is your own carelessness.

The sort of French to use

1) Above all, it must be accurate:
   a) every verb must agree with its subject
   b) every tense must be the right one
   c) adjectives and articles must agree with their nouns
2) Make certain that you use only what you know to be correct. If in doubt, play safe.
3) Gradually expand the range of your French by introducing new

constructions that you have found in your readers or have just revised in the grammar summary.

4) Make an effort to write varied and interesting French. Liven things up with snatches of conversation, idioms, questions, etc.

Good	**Better**
Elle a dit que c'était horrible.	*«Quelle horreur!» s'est-elle exclamé.*
Il a demandé le chemin de la gare.	*«Pour aller à la gare, s'il vous plaît, Monsieur ?» a-t-il demandé.*
Puis il a plu beaucoup.	*Ce soir-là, il a plu des hallebardes.*
Ils ont écouté Sylvie Vartan.	*Ils ont passé un disque de Sylvie Vartan au phono.*

5) Never be satisfied with obvious and hackneyed expressions. Think of a better way of putting it.

Just acceptable	**Much better**
Il a dit bonsoir et a quitté le salon.	*Après avoir dit bonsoir, il a quitté le salon.* or *Avant de quitter le salon, il a dit bonsoir.*
Quand il est arrivé chez lui, il nous a téléphoné.	*En arrivant chez lui, il nous a téléphoné.*
Il a fait ses devoirs mais il n'a pas regardé la télévision.	*Il a fait ses devoirs sans regarder la télévision.*
Il n'a rien acheté parce qu'il n'avait pas d'argent.	*N'ayant pas d'argent, il n'a rien acheté.*
Jean a trois frères mais Michel a un frère.	*Jean a trois frères mais Michel n'en a qu'un.*

6) Finally, check METHODICALLY. Correct your own work before your teacher has a chance to.

a) HISTOIRES ILLUSTRÉES

NOTE TO TEACHERS

In the first six stories, help has been given in the form of questions directing pupils' attention to the salient features of each drawing. In the next three, aid has been limited to some key words. The last three stories are to be treated as examination practice.
Summaries for numbers 7 to 12 can be found under the same numbers in the reproduction outlines later in this section. The full reproduction text appears in the corresponding section of the Supplementary Booklet.

HINTS FOR PUPILS

1) Look at each picture in turn, not once but many times. Really 'live' them in your imagination. Concentrate on trying to build up what you see into a connected story fitting both pictures and title. Keep going back to see how the details of each picture can be worked into your story. Work in French.
2) Before you start writing up your notes into a rough copy, make certain you know from whose point of view the story is to be told. You can write it as if you were one of the characters, or you can act as an author talking about his characters.
3) When you are working on your final version, be sure you have remembered to use the correct tenses. The perfect will be needed to narrate each new step or event; the imperfect to describe what people or places looked like.
4) Don't forget, too, to bring your characters to life by filling in details of their personality and background.
5) Now the real work begins. Go over everything you have written, from title to last full stop, minutely. Count your words to ensure you are inside the limit (usually 130-160 words).

1 — PAPA S'EN CHARGE

1) Qui s'est levé ce matin?
Que va-t-il faire?
Qui va garder le lit?
Pourquoi?

2) Où est-ce que papa est entré?
Qu'a-t-il fait?
Qu'a-t-il entendu?
Qui a poussé des cris?

3) Où est-il allé, papa?
Est-ce que le bébé était content?
Qu'a fait papa en voyant le bébé?

4) Qu'est-ce que papa a essayé de faire?
Y a-t-il réussi?
Qu'est-ce qui est arrivé aux vêtements du bébé?
Qu'est-ce qui a pénétré dans la chambre?

5) Qu'est-ce qui est arrivé au lait?
Qu'est-ce que papa a dû faire?
Est-il resté calme?

6) Qu'est-ce que papa a fait pour la seconde fois?
Qu'a-t-il mis sur le plateau?
Qu'a-t-il fait en entrant dans la chambre?
Qu'est-ce que maman lui a dit?

2 — IL FAISAIT DU BROUILLARD. . . . .

1) Où habitait la famille ?
Où est-elle allée ?
A-t-elle pris le train ?
Où a-t-on mis les bagages ?

2) Où sont-ils arrivés après quelques heures ?
Quel temps faisait-il ?
Pourquoi papa a-t-il allumé ses phares ?
De quoi est-ce qu'on approchait ?

3) Pourquoi ont-ils décidé de laisser la voiture ?
Que portaient-ils ?
Où sont-ils allés ?

4) Où sont-ils arrivés ?
Qu'est-ce qu'ils y ont fait ?

5) Ont-ils bien dormi ?
Où sont-ils allés le lendemain matin ?
Quel temps faisait-il ce matin-là ?

6) Combien de minutes ont-ils mis pour arriver jusqu'à la voiture ?
Où se trouvait la voiture exactement ?
Pourquoi maman a-t-elle crié: «Quelle horreur!» ?

3 — TAIS-TOI! TU RONFLES!

1) Où est-ce que ces deux campeurs sont arrivés? Qu'ont-ils demandé au fermier? Que leur a-t-il répondu?

2) Qu'ont-ils fait avant de se coucher?

3) Pourquoi Paul ne pouvait-il pas dormir? Qu'a-t-il dit à Jean? Que lui a répondu Jean?

4) Pourquoi Jean ne pouvait-il pas dormir? Qu'a-t-il dit à Paul? Que lui a répondu Paul?

5) Qu'est-ce que les garçons ont fini par faire?

6) A quelle heure se sont-ils levés? Quel temps faisait-il? Pourquoi se sont-ils étonnés en sortant de la tente?

4 — ÇA LUI IRA A MERVEILLE!

1) Pourquoi M. Brown est-il allé à l'aéroport? Qui l'y a accompagné? Allait-il acheter une robe taille 42 et des souliers pointure 38 pour sa femme? Qu'a fait M. Brown en entendant le haut-parleur?

2) Dans quelle ville est-il arrivé? Dans quel magasin est-il entré? Qu'est-ce qu'il y a acheté?

3) Qu'a-t-il acheté chez Charles Jourdain?

4) Qu'a-t-il fait après la fin de sa visite à Paris? Comment est-il venu de l'aéroport à sa maison? Quels paquets portait-il en rentrant?

5) Qu'est-ce que le mari a demandé à sa femme de faire? Où est-elle montée?

6) Qui vient de descendre? Comment étaient ses souliers et sa robe? Pourquoi pleurait-elle? Quelle faute son mari avait-il commise?

5 — UN SEUL VERRE, MERCI

1) Qui a décidé de faire une excursion en scooter?
Où se sont-ils arrêtés? Pourquoi?
Qu'est-ce que Jo-Jo a annoncé?

2) Qu'a fait Jim pendant que Jo-Jo parlait au garçon?

3) Qu'a fait Jim pendant que Jo-Jo cherchait quelque chose par terre.

4) Est-ce que Jim et sa petite amie sont partis les premiers?

5) Quel panneau de signalisation Jim a-t-il vu?

6) Qu'est-ce que Jim et sa petite amie ont vu en arrivant au virage?
Où étaient leurs camarades et leur scooter?
Dans quel état étaient-ils?

6 — VOS BILLETS, S'IL VOUS PLAIT

1) Où attendaient les étudiants ?
Que portaient-ils ?
Est-ce que le contrôleur aimait les étudiants ?
Qu'ont-ils fait quand le train est entré en gare ?

2) Où est-ce que les étudiants se sont installés ?
Qu'ont fait les trois qui n'avaient pas de billet ?
Qui est arrivé devant leur compartiment ?
Qu'a-t-il demandé ?

3) Qu'a fait le contrôleur en arrivant devant les toilettes ?

4) Qu'a-t-on montré au contrôleur ?
Est-ce que le billet était en règle ?

5) Où est-ce que le contrôleur est allé ?
Qui a ouvert la porte des toilettes ?

6) Combien d'étudiants sont sortis des toilettes ?
Pourquoi étaient-ils si contents ?

7 — DÉFENSE DE FUMER

1) **le type même** *perfect example*
le parterre *stalls*

2) **la placeuse** *usherette*
la manie *mania*

3) **à la hâte** *hastily*
s'excuser *to apologise*
éteindre *to put out*

4) **la rangée** *row (of seats)*

5) **sur-le-champ** *at once*

6) **s'éloigner de** *to move away from*
rallumer *to re-light*

8 — VOUS SEREZ COMME MOI!

fier *proud*
la pilule *pill*
le bœuf *ox*

2) **faire une farce à** *to play a joke on*

3) **narguer** *to taunt*

4) **poursuivre** *to chase*
de l'autre côté *from the other side*

5) **essoufflé** *out of breath*

6) **le squelette** *skeleton*

9 — LES PÉRILS DE LA VIE NAUTIQUE

1) **le Jour J.** *D-day*

2) **prendre le large** *to sail out to sea*

3) **se gâter** *to turn bad*
la vague *wave*

4) **couler** *to sink*
survenir *to come on the scene*

6) **le bassin** *(yachting) lake*
un modèle réduit *model yacht*
il en avait assez de *he was fed up with*

10 — LE PETIT RHINOCÉROS BLANC

11 — LA CLEF DU MYSTÈRE

12 — LE SOMMET DE LA PARESSE

b) FREE COMPOSITION

i) SHORT STORY BASED ON OUTLINE

HINTS FOR PUPILS

1) Copy out the outline on to rough paper, leaving plenty of space between each phrase.
2) Before you start to fill in the gaps in the outline, have a complete picture of what is going to happen in your version of the story. Only change it if you find your French isn't good enough to say what you want.
3) Let the characters and the setting come to life in your imagination. One of the characters can tell the story, or picture yourself telling a friend what happened.
4) Don't forget to put your story into the past tenses.
5) Read your rough copy through critically and try to improve on it before you start a fair copy. Vary the sequence of bare events with description of people or places and telling details. See you haven't too many *et* and *mais*.
6) Check as intensively as you possibly can. Get all the help possible from the words printed in the outline. There's no excuse for mis-spelling those!
7) Count your words and see you are inside the limit given.

STORY OUTLINES

1) Vous montez sur votre vélo flambant neuf (*brand new*) — vous vous en allez à la bibliothèque municipale — quand vous sortez, votre vélo n'est plus là — vous allez au commissariat de police — en route vous apercevez votre vélo au loin — vous vous mettez à sa poursuite — vous attrapez le voleur.
2) Vous rêvez — vous êtes en train de passer un examen — vous êtes incapable de répondre aux questions — vous vous réveillez.
3) Vous empruntez un appareil photographique à un ami — vous sortez prendre des photos — vous perdez l'appareil — vous retournez vous expliquer à votre ami.
4) Vous allez à une surprise-party — on danse — on écoute des disques — un voisin monte pour protester contre le vacarme (*din*) — le bruit continue — un agent sonne à la porte.
5) Vous faites l'école buissonnière (*play truant*) pour aller au cinéma — en entrant dans la salle, vous bousculez une dame — pendant que vous vous excusez, vous la reconnaissez: c'est la femme du proviseur — le lendemain matin, celui-ci vous demande de passer à son bureau.
6) Vous allez sur la plage avec un ami — vous plongez dans la mer — vous voulez vous montrer le meilleur nageur — vous décidez, tous les deux, de nager jusqu'au phare — vous y arrivez le premier — votre ami n'est plus là — vous retournez vers la plage.
7) Vous lisiez dans le journal qu'un criminel a échappé à la police. Il y avait une photo. Vous avez regardé par la fenêtre et voilà l'homme. Qu'est-ce que vous avez fait? Comment s'est terminée cette aventure?
(*Associated Board, November* 1965)
8) Vous avez vu un homme voler des livres dans une librairie. Plus tard, vous avez rencontré cet homme dans un café. Racontez la conversation que vous avez eue, et ce que vous avez fait.
(*Associated Board, November* 1967)
9) Un groupe d'élèves avec un professeur faisait la visite d'une ville historique. Un élève est entré dans un magasin acheter quelque chose. Quand il en est sorti, le groupe et le professeur avaient disparu. Racontez ce que le professeur et l'élève ont fait et comment cette aventure s'est terminée.
(*Associated Board, June* 1967)
10) **Accident dans la montagne**
i) Un groupe d'élèves s'en va a la montagne. (Quand? combien? Qui les mène? Comment voyagent-ils? Comment sont-ils habillés?)
ii) Arrivés à leur destination, deux élèves s'éloignent et essaient de grimper sur un rocher. (Pourquoi? à quelle heure? que cherchent-ils? que font les autres?)
iii) Un élève tombe et se fait mal. Qu'est-ce qui arrive après? Comment le trouve-t-on? Que dit-on (1) chez lui, (2) au collège?
(*Welsh Board, Summer* 1966)
11) **Les mauvais élèves**
i) Un jour, avec deux camarades, vous allez à la campagne au lieu d'aller à l'école. (Quand? Pourquoi? Quel temps fait-il? Comment êtes-vous habillé? Comment voyagez-vous?)

ii) Arrivés à la campagne, vous entrez dans un champ, laissant ouverte la barrière et vous allumez du feu. (Que font les bêtes? Comment vous amusez-vous? Que mangez-vous?)
iii) Le fermier arrive avec son chien. Qu'est-ce qui se passe après? Que fait-on et que dit-on à la maison et à l'école?

(*Welsh Board, Autumn* 1966)

12) **La récompense inattendue**
i) Un jour vous êtes allé(e) en ville. (Pourquoi? avec qui? quel jour? quel temps fait-il? à quelle heure?)
ii) Vous voyez une dame qui tombe et vous allez l'aider. (Que faisait-elle? Comment était-elle habillée? Que faites-vous? Qu'est-ce qui se passe après?)
iii) On vous donne une récompense. (De l'argent? un cadeau? Qui? Où? Quand? Qu'est-ce que vous en faites? Que dit-on à la maison et à l'école?)

(*Welsh Board, Summer* 1967)

ii) SHORT STORY

HINTS FOR PUPILS

1) Write down the title and then build up an outline like the ones given in the previous paragraphs.
2) Do all your thinking about the plot now. Concentrate on a plausible beginning and an exciting ending. Try two or three ideas. Think back to any French short story you have read on a similar theme.
3) Write up your notes into a rough copy. Use short dramatic sentences where there is lots of action; longer ones to paint in background and character. Use direct speech to confront your heroes and villains.
4) Reshape your plot if it is beyond your powers of expression in French.
5) When you are checking your fair copy, concentrate on seeing that your French is simple and correct.

Here is a title: *La Collision.*
An outline could start like this: *J'emprunte la voiture de papa—je fais une sortie agréable—au retour, tout est allé très bien. . . . . — comment l'accident s'est produit — ce que papa m'a dit quand je suis rentré à pied.*

SHORT STORY TITLES

1) Le Fantôme de la maison
2) Le Millionnaire le plus misérable du monde
3) L'Histoire du soldat
4) Je ne boirai plus jamais de vin. . . . .
5) La Merveilleuse Maison de mon oncle
6) Un Accident dans la rue (*Southern Board, July* 1965)
7) Une Affaire de contrebande (*London, January* 1963)
8) Sauvé(e) par un chien extraordinaire (*Associated Board, June* 1965)
9) Le cadeau que je regrette d'avoir reçu (*London, January* 1965)
10) Pourquoi je ne mangerai plus de pommes (*Associated Board, November* 1967)

iii) ESSAY BASED ON DISCUSSION TOPIC

HINTS FOR PUPILS

1) Choose the subject you can most easily write about, not necessarily the one you think most interesting.
2) Plan your work. First decide on the beginning and end. The beginning will lead into your subject; the end will give you the conclusions you have drawn from what you have discussed.
3) Write out the arguments for and against what you are proposing and arrange them in logical order to form the middle of your essay.
4) Work in French, putting down key sentences for each paragraph and then designing ways of linking up the stages in your arguments.
5) Remember to use plenty of questions to enliven your presentation. A question makes a good beginning to a stage in the argument.
6) When you are writing your fair copy, think before you write to see if your original version can be improved on.
7) When checking, remember correct French is even more important than valid arguments.

With this subject: *Quel pays européen habiteriez-vous si vous aviez le choix?* a sample set of paragraph headings might be:

a) *Mon caractère: mes goûts et mes passe-temps. Donc je n'aimerais vivre que dans trois pays.*
b) *Le niveau de vie dans ces trois grands pays: l'Angleterre; l'Italie; l'Allemagne.*
c) *Le climat et le paysage de ces pays.*
d) *Le pays que je choisirais.*

DISCUSSION TOPIC TITLES

1) Pourquoi je préfère le cricket au football (ou le football au cricket).
2) Votre lycée dans vingt ans.
3) Il y a trop de chiens et de chats en Angleterre.
4) Pourquoi je ne serai jamais professeur.
5) Le camping — la meilleure façon de passer les vacances?
6) Le problème de l'automobile aujourd'hui. (*Southern Board, July* 1966)
7) La carrière que vous voulez suivre quand vous quitterez l'école. (*Southern Board, July* 1964)
8) La Grande-Bretagne comme pays de tourisme. (*Southern Board, July* 1965)

iv) LETTER

HINTS FOR PUPILS

1) Make certain you get the layout right. The top half of your letter should be as shown below. Note the position of *Cher Jean* almost in the middle of the page, and that you only put the name of the town you are writing from as your address.

> *Londres, le 1er juin* 1969
>
> *Cher Jean,*
> *Merci de ta lettre. . . . .*

2) Sign off in a friendly letter as follows:

> *Meilleures pensées à toute ta famille.*
> *À bientôt, ton copain,*
> *Pierre*

3) Work in rough and in French, just as if you were following a story outline. See your opening is relevant, your centre paragraphs interesting and that you tie in the ending neatly.
4) Remember a letter should be in a lively style, just as if you were talking over the 'phone to your correspondent.
5) The past tenses to use are the perfect and imperfect.
6) Keep carefully to the outline you are following, but don't let what you write be too dull and tame. Use as much colloquial French as you can.
7) When you are checking, don't forget to check your layout as well as every word you have written.

LETTERS

1) Write the first letter to your new French correspondent explaining about yourself and your family, and how you hope you will be able to visit each other next summer.
2) You made friends with a young French teenager at a camping site in France last summer, and promised to write. Now you are sending an Xmas card and you decide that you cannot put off a letter any longer. What do you put in your letter?
3) Everything was arranged for a visit to a French friend. Now something has happened which will stop you from going. Write explaining why you cannot come.
4) At Xmas, you went to see a pantomine. Write to your French correspondent explaining what this peculiarly British phenomenon is like.
5) Your French pen-friend's elder sister is coming to live in your town as an *au pair* girl. She has asked you to write to her about what life is like there.
6) Vous sortez de l'hôpital après y avoir passé deux semaines à la suite d'un accident. Écrivez une lettre à votre correspondant(e) français(e) dans laquelle vous lui décrivez votre vie à l'hôpital. (*London, Summer* 1964)
7) Écrivez une lettre à votre correspondant(e) français(e) qui vous a demandé de lui raconter quelques épisodes de votre vie au lycée. (*Associated Board, Summer* 1965)
8) Dans une lettre à un(e) ami(e) décrivez un incident amusant que vous avez vu à la gare de votre ville. (*London, Summer* 1963)

9) Votre sœur aînée s'est mariée récemment. Écrivez à un(e) ami(e) français(e) pour lui décrire cet événement.

(*London, July* 1963)

10) Votre ami(e) veut faire un échange avec un(e) jeune Français(e) mais il (elle) n'a pas de correspondant(e). Écrivez une lettre à votre correspondant(e) français(e) lui demandant de vous aider à arranger cet échange pour votre ami(e).

(*London, January* 1964)

c) STORIES FOR REPRODUCTION

NOTE TO TEACHERS

The text of the stories which the pupils are to reproduce will be found in the Supplementary Booklet. When the story has been written and corrected, the pupils should be allowed to see the original version in the booklets.

The story is to be read **twice**. If your pupils are unfamiliar with this type of exercise, they should be allowed to make notes after the first reading but not while the passage is being read. (NB Some Boards allow notes to be taken after the first reading in the examination.)

Teachers who find that there is not sufficient material here for practice in this type of work are recommended to use «*Racontez-nous une histoire*!» by K. Booth and N. J. Goodey, English Universities Press, which is a collection of graded anecdotes for reproduction.

HINTS FOR PUPILS

1) You must listen very carefully to the first reading of the story to concentrate on the facts. During the second reading, pay special attention to the details of the language. Remember that you will be marked on your ability to reproduce the main points of the story faithfully, on the correctness of your French and on the quality and variety of French expressions which you use.

2) Make good use of the outline with which you are provided but note that the verbs are usually given in the infinitive form or in the present tense. You must remember to use them in the tense appropriate to the story you are re-telling.

3) Sometimes you are told specifically what past tense to use. Unless you are told otherwise, you may assume that you may use the past historic (if the story was told in the past historic) or the perfect. Once you have chosen to use one or the other, be consistent throughout your story (using, of course, the imperfect, conditional, etc, where appropriate).

4) You are not expected to add extra descriptive detail in this type of exercise. In fact, the word limit prescribed is usually rather lower than the number of words in the original passage so you must not use up the words at your disposal by irrelevant inventions of your own.

5) All that has been said before about 'good French' and accurate checking of your work still applies here.

SUMMARIES OF STORIES FOR REPRODUCTION

1) **The man and the bus**
Un homme assez gros—l'autobus—un voyageur—arriver à l'attraper —répondre en soufflant—le chauffeur.

2) **Sarcasm does not pay**
Une promenade à la campagne—entrer dans un café—la tasse sans cuiller—sur un ton sarcastique—une autre tasse.

3) **Coarse rugby**
Les parties de rugby—aller au stade—le début du match—la pluie—les coups de poing—les spectateurs se battent—un match de boxe?

4) **A neglected child makes trouble**
Pierre s'ennuie—la pipe de son père—comment l'allumer—une feuille du journal—se brûler le nez—le canapé.

5) **A jeweller falls for an old trick**
Le diamant dans la vitrine—faire faire des boucles d'oreille—il promet de chercher—la carte du client—une dame avec un diamant pareil—téléphoner au client.

6) **A patriot runs into difficulties**
Prisonnier mais vivant—s'évader—appeler les volontaires—continuer à se battre—passer en zone libre—gagner l'Espagne—un voyage en cargo—mettre en prison.

7) **Défense de fumer**
Un gentleman anglais va au cinéma à Paris—il allume sa pipe—la

placeuse arrive—il éteint sa pipe—la placeuse voit encore de la fumée—le gentleman sort du cinéma.

(*based on histoire illustrée* 7)

8) **Vous serez comme moi!**
Les pilules du pharmacien—une visite au magasin d'antiquités—on nargue (*taunts*) le pharmacien—ce que la foule voyait dans la vitrine.

(*based on histoire illustrée* 8)

9) **Les Périls de la vie nautique**
L'invitation—les nouveaux vêtements—le voyage—le sauvetage—une visite au parc.

(*based on histoire illustrée* 9)

10) **Le Petit Rhinocéros blanc**
Un enfant gâté—l'avertissement du speaker—la pièce effrayante—le retour de maman—ce qu'elle a vu sur le fauteuil.

(*based on histoire illustrée* 10)

11) **La Clef du mystère**
Jean Dupont travaille chez Renault—il perd sa clef anglaise—la première sortie dans sa voiture neuve—il passe chez le garagiste—il y retourne—une trouvaille!

(*based on histoire illustrée* 11)

12) **Le Sommet de la paresse**
Mes vacances en Suisse—je pars pour le sommet—le jeune paresseux—ce que je vois à mi-chemin—ce que je vois au sommet—comment mon rival était monté.

(*based on histoire illustrée* 12)

PASSAGES SET BY EXAMINING BOARDS FOR STORY-REPRODUCTION

13) **A double theft** (Allow 45 minutes)
Banquet—délégués—honnêteté individuelle—fumer—étui—circuler—propriétaire—négligemment—disparaître—le président—pas d'enquête—plateau en argent—éteindre—revenir—retrouver—éclairé de nouveau. (140-150 words)

(*Joint Matriculation Board, Lancashire and Cheshire Syllabus, June* 1966)

14) **Mistaken motives** (Allow 45 minutes)
Un colonel—en auto—régiment en garnison—un tournant—un paysan—fusil à l'épaule—le chien—s'abandonner à la douleur—le colonel honteux—glisser un billet—nouvelles plaintes—touchants adieux—davantage—se mettre en colère—chasse interdite—incurable—coup de fusil. (140-150 words)

(*Joint Matriculation Board, Lancashire and Cheshire Syllabus, June* 1965)

15) **Life's little ups and downs** (Allow 50 minutes)
Hôtel cherche un plongeur—laver la vaisselle—annonce au journal—l'homme à bout de ressources—engagé—il travaille en soupirant—le directeur—comment ça se passe en Amérique.

(150-160 words)

(*Oxford and Cambridge Schools Examination Board, December* 1965)

16) **Effects of television** (Allow 50 minutes)
Les Giraud décident de sortir—Bruno va rester seul—«haut les mains»—Bruno téléphone au restaurant—quelqu'un à l'appartement—cambrioleur dans le salon—Bruno ravi—essaie de jouer avec l'inconnu—résultat? (150-160 words)

(*Oxford and Cambridge Schools Examination Board, July* 1966)

17) **A fishing story** (Allow 40 minutes)
Duranty va à la pêche—les truites—le déjeuner—il se vante—son retour—le couvercle—sa surprise. (150-160 words)

(*University of Cambridge Local Examinations Syndicate, June* 1965)

18) **A cat shows its cunning** (Allow 40 minutes)
Minou, la chatte—Chouquet, le chien de Monsieur Duval—la corde—l'arbre—la viande—première tentative de Minou—la ruse.

(150-160 words)

(*University of Cambridge Local Examinations Syndicate, July* 1962)

6 DICTATION

NOTE TO TEACHERS

On the following pages we have presented the main grammatical and phonetic points which cause difficulty in dictations. We suggest that the class studies one point in detail. Then the teacher should read out some of the practice sentences to be found in the Supplementary Booklet. The booklets can be distributed to the pupils so that they can correct their own work. Complete dictations, including some set by Examining Boards, are also to be found in the Supplementary Booklet.

HINTS FOR PUPILS

Success in dictation tests depends upon:
— accuracy of grammatical knowledge,
— correct recognition of sounds,
— care in writing down and checking your work.
You will find that you can improve your performance by regular practice and by an awareness of some of the points which usually cause difficulty. Study carefully the points made on the following pages and try to bear them in mind as you do your dictation.

Grammatical Points

1) **Agreement of verbs**

a) You must have a thorough knowledge of the endings of all important verbs.

b) Before you write down a verb, find the subject and make sure you put the right ending for the tense. Check whether the subject is singular or plural. FAILURE TO OBSERVE THIS BASIC RULE IS A MOST FREQUENT SOURCE OF ERROR.

Remember especially:

i) 3rd person singular/plural confusion. Sometimes the sound of the verb alone will not tell you whether the subject is singular or plural. Be on the look-out for other clues, e.g.

les garçons faisaient leurs devoirs
il finissait son dîner
elles‿aiment la maison

ii) the fatal attraction of the 3rd person singular ending. Remember to use the correct ending of the *je* and *tu* forms e.g. *j'écris, tu fais, tu arriveras, tu portes*, etc.

iii) Relative Clauses with *qui*. Always check back to find the subject of the verb, e.g.

les garçons qui travaillent bien
toi, qui as de la chance
tout ce qui brille

iv) The infinitive/past participle confusion. With *-er* verbs, there is no difference in sound between the infinitive *porter* and the past participle *porté*. Whenever two verbs come in the same clause, listen carefully to see if the first one is a part of *être* or *avoir*. If it is, you can be sure that the second verb must be the past participle, e.g.

il est arrivé, nous avons mangé, ils seront tombés, etc.

If the first verb is not a form of *avoir* or *être*, the second verb must be an infinitive, e.g.

il sait nager, il veut travailler, je dois chanter, vous allez manger, etc.

v) *Tout le monde*, *on* and collective nouns take a singular verb, e.g.

tout le monde chante
la famille travaille
la foule crie

La plupart usually has a plural verb, e.g.
la plupart des hommes étaient furieux

2) **Agreement of Past Participle**

Whenever you have to write a compound tense, ask yourself the following questions:

a) Is the auxiliary verb *être*? If the answer is "No", pass on to question b. If "Yes", check that the past participle agrees with the subject in number and gender, e.g.

ils sont arrivés, elle est partie, nous sommes venus, elles seront sorties, etc.

Remember that *être* is the auxiliary used with the passive construction in French and so the past participle must agree with the subject, e.g.

la lettre fut envoyée, les enfants seront punis, les fillettes ont été abandonnées.

b) Is this a reflexive verb? Answer "No", pass on to question c. Answer "Yes", check that the past participle agrees with the preceding **direct** object, e.g.

ils se sont dépêchés, elle s'est réveillée, etc.

Remember that some reflexive verbs take indirect objects and in these cases there is no agreement of the past participle, e.g.

ils se sont parlé (because it is *parler* **à** *quelqu'un*)
nous nous sommes écrit (*écrire* **à** *quelqu'un*)

c) When the auxiliary verb is *avoir*, the past participle is unchanged, except when the direct object precedes the verb, e.g.

La maison que j'ai achetée ...
Quant aux hommes, je les ai vus.
Quelles promenades as-tu faites?
Combien de livres ont-ils vendus?

Remember the agreement in relative clauses with *qui*, e.g.

C'est elle qui est venue
Ce sont eux qui sont partis, etc.

3) **Agreement of adjectives**

a) Check carefully to see which word the adjective is referring to and make the correct agreement in number and gender, e.g.

ils sont grands, elle est petite, les jolies maisons

b) When the subject consists of one masculine and one feminine noun, the adjective is masculine plural, e.g.

le chat et la souris sont petits
les hommes et les femmes sont fatigués

c) Do not be misled by the sound of some adjectives when they precede a masculine noun beginning with a vowel. The agreement is still masculine, although the sound may suggest that it is feminine, e.g.

au premier étage, en plein air, un petit enfant

d) The usual way of making an adjective feminine is to add *e*. Pay special attention to the irregular feminine endings, e.g.

la maison blanche, la feuille sèche, la fillette paresseuse, une vie active, une robe chère, une femme cruelle. See paragraph 8 of the Grammatical Summary.

e) The adjectives *beau*, *nouveau*, *vieux* and *fou* have a special form when they precede a masculine word beginning with a vowel or silent *h*. Listen carefully for other clues to the gender.

un nouvel imperméable, le bel enfant, un vieil homme, un fol amour, une folle idée, une vieille attitude, une belle Anglaise, une nouvelle invention.

f) The demonstrative adjective *ce* has a special masculine form for use before nouns or adjectives beginning with a vowel or silent *h*. *Cette* is always used for feminine nouns.

cet endroit, cette assiette
cet habit, cette habitude
cet ancien élève, cette ancienne amie

g) The possessive adjectives *mon*, *ton*, *son* are used before an adjective or noun beginning with a vowel or silent *h*, even when the noun is feminine. Don't let this mislead you into making other masculine agreements.

Mon amie est belle.
Mon institutrice est arrivée.
Mon habitation est éloignée.
Mon horrible belle-mère est venue.

h) Remember to distinguish between the possessive adjectives *notre* and *votre*, and the words *nôtre* and *vôtre*.

Notre maison est plus petite que la vôtre.
Ses roses sont plus jolies que les nôtres.

Points connected with sounds

1) Distinguish between [e] and [ɛ]

[e]	[ɛ]
je portai	*je portais*
je finirai	*je finirais*
le pré	*près*
et	*est*
le thé	*tais-toi!*

2) Distinguish between [ɛ] and [ə]

[ɛ]	[ə]
il lève	*nous levons*
je jette	*vous jetez*

3) Distinguish between [u] and [y]

[u]	[y]
ou, où	*eu, eut*
la roue	*la rue*
nous	*nu*
le bout	*bu*
tout	*tu*

4) Distinguish between [ø] and [ə]

[ø]	[ə]
ceux	*ce, se*
deux, d'eux	*de*
le nœud	*ne*

5) Distinguish between [ɑ̃] and [ɔ̃]

[ɑ̃]	[ɔ̃]
le banc	*le bond*
m'en	*mon*
sent, sans, cent	*son*
la dent	*le don*
dans	*dont*
quand	*qu'on*
en	*on*

6) Distinguish between [s] and [z]

[s]	[z]
baisser	*baiser*
le coussin	*le cousin*
le poisson	*le poison*

Remember that the sound [s] may also be represented by the letter *t*, e.g. *la nation impatiente*

7) Distinguish between [g] and [ʒ]

[g]	[ʒ]
égal	*agir*
aigu	*âgé*
gonfler	*un agenda*

The [g] sound is always represented by *g* + *a*, *o*, or *u*. When the letter *g* is followed by *i* or *e*, it sounds as a [ʒ]. This particularly affects verbs ending in *-ger* where the *e* must be used to keep the [ʒ] sound, e.g. *nous mangeons, il songea*

The letter *u* is used to keep the *g* hard in words like *la guerre, guider, le guichet.*

8) Distinguish between [k] and [s]

[k]	[s]
comme	*la leçon*
la cave	*le ciel*
la cuisine	*la cérémonie*

This particularly affects verbs ending in *-cer*, which need to add the cedilla to keep the [s] sound when the *c* is followed by *a*, *o* or *u*, e.g. *nous commençons, il lançait, il a reçu, il aperçut*

The letter *u* is used to keep the *c* hard in a word like *cueillir*.

The above are just a few examples of distinctions of sounds which will help you to do well in dictations. Make your own list of further examples.

Examination Procedure

1) The whole passage is read through at normal speed to give you an idea of its general meaning. Nothing is to be written down during this first reading, but try to notice the main tense which is being used and whether the characters are men or women, as this may affect the agreement of past participles.
2) The passage is read again slowly, with a pause after every few words. During this pause you must write down what has been dictated. Wait until the reader has finished the phrase before starting to write. When you have written the words down, the phrase will be repeated so that you can check that you have not missed any words out.
3) The whole passage is read for the last time, quite slowly. Follow very carefully to spot any omissions.
4) A few minutes are allowed for you to revise what you have written. This checking should be done systematically; merely reading through what you have written is not sufficient.

Punctuation

As punctuation is usually given in French, make sure you know all the following:

Full stop	.	*point*
Comma	,	*virgule*
Colon	:	*deux points*
Semi-colon	;	*point virgule*
Exclamation mark	!	*point d'exclamation*
Question mark	?	*point d'interrogation*
Open brackets	(	*ouvrez la parenthèse*
Close brackets	)	*fermez la parenthèse*
Open inverted commas	«	*ouvrez les guillemets*
Close inverted commas	»	*fermez les guillemets*
Begin a new paragraph		*à la ligne*
Dash	—	*tiret*
Hyphen	-	*trait d'union*

How to succeed in dictation tests

1) Make sure your writing is clear and legible.
2) Put the accent exactly above the letter and make it clear whether it is supposed to be an acute or grave accent.
3) Be systematic in checking your work during the last few minutes allowed for revision.

   Check: a) every verb, making sure it agrees with its subject;

   b) every past participle, ensuring that the agreement required, if any, has been correctly made;

   c) every adjective, making sure it agrees with the word it is referring to.
4) Try to understand the passage as you go along and so avoid writing gibberish. Don't be put off because there are a few difficult words; concentrate on getting right the words you think you know.

7 COMPREHENSION

A. COMPREHENSIONS WITH QUESTIONS AND ANSWERS IN FRENCH

NOTE TO TEACHERS

We have included titles for short compositions on the comprehension passages as these are required by some Boards.
There are extra passages for 'unseen practice' in the Supplementary Booklet.

HINTS FOR PUPILS

The time allotted in the examination for the comprehension test does not allow for daydreaming, so that practice in planning the best use of the time is essential.

a) read the instructions carefully, noting whether or not you are allowed to use the past historic;
b) read the passage carefully at least twice;
c) read the questions and decide what part of the passage each refers to;
d) write each answer as a complete sentence;
e) work through the questions in order;
f) do not spend too long on any one question: leave a gap, pass on to the next, and return to it later;
g) check your answers thoroughly.

As a general rule, spend about one quarter of the time available on reading the passage and questions.

Other general points:

1) Do not repeat the whole of the question in your answer.

   e.g. Q. *Pourquoi voulaient-ils quitter Grenoble avant la fin de la semaine?*

   not A. *Ils voulaient quitter Grenoble avant la fin de la semaine parce que . . .*

   but A. *Ils voulaient partir parce que . . .*

2) Be relevant and do not make answers abnormally long: be prepared to cross out a long rambling answer and start again after deciding what is the main information required.

3) Information needed for an answer rarely has to be invented or calculated: most questions refer directly to the text.

   But an answer consisting merely of a sentence lifted as it stands from the text is likely to be unsatisfactory: usually, elements of information have to be combined or condensed.

4) The tenses and persons used in the text often have to be altered to suit the terms of the question.

   It is therefore particularly important to be sure of the tense of the question—to distinguish between

   Q. *Pourquoi venaient-ils à la gare?*

   and Q. *Pourquoi étaient-ils venus à la gare?*

   Do not confuse the conditional with the imperfect tense:

   Q. *Qu'est-ce que Pierre ferait pour éviter l'accident?*

   and Q. *Qu'est-ce que Pierre faisait pour éviter l'accident?*

Particular points to note

1) a) To avoid repeating too much of the question, use **pronouns** wherever possible.

e.g. Q. *Pourquoi Pierre a-t-il caché le document?*
A. *Il l'a fait parce que . . .*

b) Remember to make any necessary agreements.

e.g. Q. *Quand Richard avait-il brûlé la lettre?*
A. *Il l'avait brûlée . . .*

c) "*Y*" and "*en*" replace constructions beginning with "*à*" and "*de*" respectively.

e.g. Q. *Quand avait-il réussi à quitter l'hôtel?*
A. *Il y avait réussi . . .*

Q. *Quand était-il sorti de la maison?*
A. *Il en était sorti. . .*

d) Other references to the question can be made concisely by the use of such phrases as "*A ce moment-là*", "*Ce jour-là*" etc.; but omit such references if you feel that your answer is more natural without them.

2) a) Many questions begin "*Pourquoi . . .?*". Choose whichever of the following three structures seems appropriate.

Q. *Pourquoi Henri avait-il sauté par-dessus la barrière?*

A. *Il voulait éviter un accident.*
or A. *Il l'avait fait parce qu'il voulait . . .*
or A. *Il l'avait fait pour éviter un accident.*

b) "*Pour quelles raisons*" in the question indicates that more than one (generally two) items of information are required in the answer.

c) To answer a question beginning with "*Comment . . .?*" use the construction "***en*** (*donnant*) . . ." where appropriate.

e.g. Q. *Comment Henri avait-il évité un accident?*

A. *Il avait sauté par-dessus la barrière.*
or A. *Il l'avait évité en sautant . . .*

3) a) Be careful to distinguish questions referring to **persons** (*Qui . . .? Qui est-ce qui . . .? Qui est-ce que(qu'). . .?*) from those referring to **things** (*Que . . .? Qu'est-ce qui . . .? Qu'est-ce que(qu'). . .?*)

b) Give the correct emphasis to your answers by using the structure "*C'est . . . qui . . .*" or "*C'est . . . qu(e) . . .*"

e.g. Q. *Qui a voulu partir tout de suite?*
A. *C'est Pierre qui a voulu partir tout de suite.*

also Q. *Où voulaient-ils aller?*
A. *C'est à Genève qu'ils voulaient aller.*

4) "*De quoi . . .?*" and "*A quoi . . .?*" in the question call for particular care in the construction used in the answer.

e.g. Q. *A quoi servait le mur?*
A. *Il servait à protéger la ferme des loups.*
Q. *De quoi avaient-ils peur?*
A. *Ils avaient peur de manquer leur train.*

5) If a question begins "*Comment était . . .?*" or "*Décrivez . . .*", do not give a long explanation, but choose the main feature(s) required.

e.g. Q. *Comment était Pierre au moment de l'incident?*
A. *Il avait l'air inquiet.*
or A. *Il paraissait inquiété par ce qu'il avait vu.*

Q. *Décrivez la maison où ils sont arrivés.*
A. *C'était une maison énorme, à trois étages.*

Finally

Check that you have answered **all** the questions and that every part of a question has been seen and answered.

Under pressure of time, the efficiency of checking for mistakes of French tends to drop. Use a system of mechanical checks, e.g. for correct tenses; agreements of verb and subject, adjective and noun; correct choice and placing of pronouns, and so on.

PASSAGES FOR COMPREHENSION

1. Un message en morse

(Émile, détective privé à l'Agence O, prend un verre à la terrasse d'un café.)

Il était exactement onze heures du matin. Émile pouvait voir, de la terrasse à laquelle il était installé, sur les grands boulevards, l'horloge électrique du carrefour Montmartre. C'était un des premiers beaux jours du printemps.

Il ne pensait à rien.

Soudain, il tressaillit (1), comme un dormeur qui va se réveiller. Quelque chose venait de le frapper à travers son engourdissement (2), mais il ne savait pas encore quoi.

«22 . . . 22 . . . . .»
Voyons! Ce chiffre n'était écrit nulle part. Comment parvenait-il jusqu'à Émile?

«22, rue Blomet . . . . .»

Personne n'avait articulé ces mots près de lui, Émile en était sûr. Enfin, brusquement, il eut la révélation de cette anomalie. Ces mots, il ne les lisait pas, il ne les entendait pas à proprement parler, **mais il les reconstituait**.

Émile avait longtemps pratiqué le morse. C'était en morse que le message lui parvenait. . . . .

Il regarda autour de lui. Son regard tomba sur une fine chaussure à haut talon. Et c'était ce talon qui, en frappant le sol à coups secs . . . . .

Émile leva les yeux et aperçut une jeune personne au visage impassible. C'était troublant. Les grands boulevards vivaient leur vie de tous les matins. Ce n'était pas encore le moment de l'apéritif, mais à cause de la chaleur du soleil, il y avait du monde à la terrasse.

«22, rue Blomet», répétait le talon. «Au troisième. . . . .» Soudain, un autre message retentit, très court, celui qui est généralement employé pour annoncer: message reçu. Cette fois, on se servait d'une cuiller ou d'un objet dur dont on frappait des coups brefs et longs sur une soucoupe. C'était derrière Émile.

(1) tressaillir: *to start* (2) un engourdissement: *stupor*

(*Simenon: Le Vieillard au porte-mine*, *Harrap*)

A. Questions

1) Comment Émile savait-il l'heure exacte?
2) Qu'est-ce qui a soudain fait tressaillir Émile?
3) Qu'est-ce qu'il n'a pas compris tout d'abord?
4) Depuis quand pratiquait-il le morse?
5) Qu'est-ce qui avait produit le bruit?
6) Pourquoi y avait-il beaucoup de gens à la terrasse?
7) Expliquez pourquoi la jeune femme a répété le message.
8) Quelles informations son message contenait-il?
9) Pourquoi le second message était-il très court?
10) Comment la réponse a-t-elle été transmise?

B. Compositions

1) De retour à son bureau, Émile raconte l'incident à son patron. Imaginez leur dialogue.
2) La jeune femme quitte la terrasse et Émile décide de la suivre. Racontez la suite.
3) Inventez une explication du message de la jeune femme.

2. Une soirée agitée

J'étais invitée chez deux garçons de notre petit groupe. Sur la carte d'invitation, rédigée par les deux frères, on lisait:

«Chacun est prié d'apporter au moins dix gâteaux, un disque et beaucoup de bonne humeur. On mangera, on chantera, on dansera.»

«On dansera. . . . .» C'était bien là qu'était le mal. . . . . Comment danser chaussée d'une vieille paire de chaussures? Trois fois ressemelées elles faisaient leur quatrième saison, et il y avait un grand trou dans le cuir noir par lequel on voyait mon bas clair. Mais je n'en avais pas d'autres, et je ne voulais surtout pas manquer cette soirée. Le jour venu, donc, j'y allai.

Le premier disque commença à tourner, et on se mit à danser. L'on m'invita, mais je n'eus pas le courage d'accepter, croyant que le trou attirerait tous les regards. Je restais donc assise sur une chaise: moi, qui aime tant danser.

Combien je regrettais d'être venue—j'allais donc passer la soirée à changer les disques? J'observais avec envie les pieds élégants des danseuses. L'on me demandait sans cesse:

— Eh bien, Françoise, tu ne danses pas? Es-tu souffrante?
S'ils avaient su. . . . .

Le vacarme était tel que soudain un des voisins monta très en colère.

— Dansez, si vous voulez, nous dit-il, mais alors ôtez vos chaussures. Vous faites trop de bruit. Impossible de dormir.

Ce brave homme, j'avais envie de l'embrasser. . . . .

Chacun quitta ses chaussures, et bientôt vingt paires de pieds nus dansèrent sur le plancher, avec le plus grand entrain.

Les miens étaient fous; mes amis, surpris, me regardaient;
— Eh bien, ma chère, on pourrait croire que c'étaient tes souliers qui te faisaient souffrir. Tu es toute changée maintenant.

Ah, comme j'ai dansé ce soir-là!

A. **Questions**

Answer as if you were Françoise, where necessary. (*e.g.* Comment t'appelles-tu? Je m'appelle Françoise.)

1) Comment les deux frères avaient-ils assuré que tout le monde aiderait au succès de la soirée?
2) Depuis combien de temps portais-tu les mêmes chaussures?
3) Qu'est-ce qui arriverait si tu acceptais de danser?
4) Pour quelles raisons regardais-tu avec envie les danseuses?
5) Que pensaient tes camarades en voyant que tu ne dansais pas?
6) Complétez la phrase qui commence: «S'ils avaient su. . . . .»
7) Pourquoi un des voisins est-il monté?
8) Pourquoi avais-tu envie d'embrasser cet homme?
9) Qu'est-ce que les danseurs ont fait après l'intervention du voisin?
10) Qu'est-ce que tes amis ont pensé en voyant que tu étais «toute changée»?

B. **Compositions**

1) Les deux frères préparent la soirée: imaginez une partie de leur dialogue.
2) Une amie de Françoise raconte à une camarade les événements de la soirée. Imaginez ce qu'elle dit.
3) Le lendemain de la soirée, un des frères descend chez le voisin et s'excuse d'avoir troublé son repos la veille. Imaginez leur dialogue.

3. La Zimboum 44

Mon ami Martin me demande de passer chez lui pour admirer la Zimboum 44 qu'il a réussi à se procurer avant tout le monde. Il triomphe:
— Nous ne sommes pas plus de six, en France, à posséder une Zimboum 44.

— Quelle est la consommation de la Zimboum?

— Douze litres aux cent (1), je crois.

— Tu ne l'as pas vérifié?

— J'ai pris livraison (2) de la voiture samedi. Je n'allais pas la sortir pendant le week-end! J'espère bien que tu ne roules jamais le dimanche! . . . C'est trop dangereux.

— Moi, tu sais, même en semaine. . . . .

— . . . Tu prends le métro? Moi aussi.

— En somme, ta Zimboum grand sport, tu ne la sortiras pas avant Noël, pour descendre dans le Midi?

— A Noël! Alors qu'il se tue cent à cent cinquante personnes par jour. Comme tous les gens raisonnables, à Noël, je prendrai l'avion.

C'est donc aux vacances d'été qu'il réserve son joli et puissant joujou? (3) Point du tout:

— A partir de mai, un chef de famille conscient de ses responsabilités ne peut plus exposer les siens aux dangers de la route. Cet été, nous irons en Grèce.

La Zimboum restera au garage. Martin se console:

— C'est une voiture qui ne perd presque rien de sa valeur d'une année à l'autre.

Il me la montre (au garage). Elle est superbe, la Zimboum 44.
Il ne roule plus. Ou si peu. Pourtant, il faut bien avoir une voiture. Pour la laisser au garage?
— Hé! oui, pour la laisser au garage.
Je suggère:

— Pourquoi ne pas la placer dans ton salon? C'est vraiment l'objet le plus précieux que tu possèdes! Tu la verrais, tu pourrais la montrer. . . . .

(1) = 12 litres d'essence tous les 100 kilomètres. (2) la livraison: *delivery* (3) le joujou: *toy*

(*from* "*Le Figaro*")

A. **Questions**

1) Qu'est-ce que la Zimboum 44?
2) A part Martin, combien de Français possèdent une Zimboum 44?
3) Pourquoi Martin ne sait-il pas exactement la consommation d'essence de sa voiture?
4) Est-ce que Martin utilisera sa nouvelle voiture pendant le week-end ou en semaine?
5) Par quel moyen de transport est-ce que Martin et son ami vont tous les jours à leur travail?
6) Pourquoi Martin prendra-t-il l'avion pour aller dans le Midi à Noël?
7) Qui est-ce qu'un père de famille doit protéger?
8) Est-ce que Martin risquerait de perdre beaucoup d'argent s'il vendait sa Zimboum 44?
9) Expliquez pourquoi la voiture de Martin n'est qu'un «joujou».
10) Pourquoi Martin a-t-il acheté sa nouvelle voiture?

B. **Compositions**

1) Martin vient d'annoncer à sa famille qu'il va acheter une Zimboum 44. Imaginez la conversation qui suit.
2) Mme Martin veut décider son mari à vendre la Zimboum 44. Imaginez ce qu'elle lui dit.
3) Martin se décide à vendre sa Zimboum 44. Imaginez l'incident (ou les incidents) qui l'a obligé à prendre cette décision.

4. Rira bien qui rira le dernier

Le petit Frédéric faisait l'école buissonnière avec plusieurs de ses camarades. De peur d'être grondé par son père, il s'enfuit à travers la campagne. Voici son récit:
C'était juste avant le coucher du soleil; j'étais fatigué, j'avais peur.

— Il se fait tard, pensai-je, et maintenant où vas-tu souper? Il faut aller demander l'hospitalité dans une ferme.
Je me dirigeai vers une petite maison blanche. Je m'avançai sur le pas de la porte et je vis une vieille qui préparait sa soupe.

— Eh bien! grand-mère, vous préparez la soupe?

— Oui, me répondait-elle. Et d'où sors-tu, petit?
— Je suis d'Arles, j'ai fait une excursion et je viens vous demander l'hospitalité.
— Alors, me répliqua la vieille, assieds-toi sur l'escalier pour ne pas user mes chaises.
Et je m'assis sur la première marche.

— Ce n'est pas tout, petit, dit la vieille; en ce pays-ci les paresseux ne mangent rien . . . si tu veux ta part de soupe, il faut la gagner.

— Avec plaisir! Et que faut-il faire?

— Nous allons nous mettre tous deux au pied de l'escalier, et nous jouerons au saut; celui qui sautera le plus loin, aura sa part de bon potage, et l'autre mangera des yeux.
Nous nous plaçons donc, l'un à côté de l'autre, au pied de l'escalier qui, dans les fermes, se trouve en face de la porte, tout près du seuil.

— Et je dis: un! cria la vieille; deux! trois!

Moi, je m'élance de toutes mes forces et je franchis le seuil. Mais la vieille, qui n'avait fait que semblant de sauter, ferme aussitôt la porte à clé et me crie:

— Mauvais garçon! retourne chez tes parents qui doivent être inquiets, va!

A. **Questions**

1) Pourquoi le petit Frédéric s'est-il enfui?
2) Pour quelles raisons cherchait-il une ferme?
3) Qu'est-ce que la vieille voulait savoir sur Frédéric?
4) Pourquoi Frédéric n'a-t-il pas dit la vérité à la vieille?
5) Comment, selon la vieille, le petit Frédéric pourra-t-il gagner sa part de potage?
6) Décrivez l'intérieur de la maison de la vieille.
7) Quelle était l'intention de la vieille en proposant à Frédéric de jouer au saut?
8) Pourquoi est-ce que Frédéric a sauté de toutes ses forces?
9) Pourquoi la vieille a-t-elle fermé sa porte au petit garçon?
10) La vieille vous semble-t-elle charitable? Justifiez votre opinion.

B. **Compositions**

1) La vieille raconte l'incident à une voisine; imaginez son récit.
2) Vers minuit, le petit Frédéric rentre chez lui. Son père l'attend. Imaginez la suite.
3) Le lendemain, à l'école, le maître interroge Frédéric au sujet de son absence de la veille. Imaginez leur dialogue.

5. Un client mystérieux

A huit heures dix, exactement, l'homme est arrivé. Joseph, le garçon, penché sur son percolateur, ne l'a pas vu entrer. . . . . Pourquoi a-t-il choisi le «Café des Ministères», alors qu'il y a en face, de l'autre côté de la rue, un café-comptoir où l'on peut trouver à cette heure des croissants, des petits pains et une atmosphère déjà grouillante?

En réalité, l'établissement était ouvert sans l'être. Il était ouvert, puisque la porte l'était, mais il ne l'était pas en ce sens qu'il ne venait jamais personne à cette heure, que le café n'était pas préparé, que l'eau commençait à peine à tiédir dans le percolateur et que les chaises étaient encore empilées sur les tables.

— Je ne pourrai rien vous servir avant une bonne demi-heure, a dit Joseph.
Il croyait en être quitte. Mais l'homme a pris une chaise sur une des tables et s'est assis. Il s'est assis simplement, calmement, et il a murmuré:
— Cela n'a pas d'importance.

Ce qui a suffi à mettre Joseph de mauvaise humeur; il a grommelé entre ses dents:

— Tu l'attendras longtemps, ton café!

Jusqu'à neuf heures, il a accompli son travail quotidien, balayant le plancher, puis prenant les chaises sur les tables.
Enfin, à neuf heures deux ou trois minutes, il s'est résigné à lui servir une tasse de café brûlant.

C'est curieux: depuis une heure qu'il est là, l'homme n'a pas tiré de journal de sa poche, il n'a pas cru nécessaire de consulter l'Annuaire des téléphones. Il n'a pas non plus essayé de lier la conversation avec le garçon. Il ne croise pas et ne décroise pas les jambes. Il ne fume pas.
A dix heures, il est toujours là. . . . .

(*Simenon: Le client le plus obstiné du monde, Harrap*)

A. **Questions**

1) Quand l'homme est arrivé, depuis combien de temps le café était-il probablement ouvert?
2) Quelle différence y avait-il entre les deux cafés à cette heure du matin?
3) Pourquoi Joseph ne préparait-il pas le café avant neuf heures?
4) Pourquoi les chaises étaient-elles empilées sur les tables?
5) Quelle a été la réaction de l'homme en apprenant qu'on ne lui servirait rien avant une demi-heure?
6) Qu'est-ce que Joseph espérait en disant à l'homme qu'il ne pourrait pas le servir tout de suite?
7) Comment Joseph a-t-il montré son irritation contre le client?
8) Que répondrait Joseph si le client demandait des croissants ou des petits pains?
9) Mentionnez deux choses que le client pourrait faire pour passer le temps.
10) Quand est-ce qu'on consulte l'Annuaire des téléphones?

B. **Compositions**

1) Joseph raconte à son patron ces deux heures passées en tête à tête avec le client mystérieux. Imaginez son récit.
2) Un inspecteur de la Police Judiciaire interroge Joseph au sujet du client. Imaginez leur dialogue.
3) Imaginez la suite de cette histoire. (Vous n'êtes pas obligé d'éclaircir le mystère!)

6. Le voyageur de commerce et les singes

Voici ce qu'un jour Marius Barbassou, voyageur de commerce en chapellerie, racontait à ses amis, quand il revint en Gascogne, son pays natal:
L'année dernière je m'en allai faire du commerce en Tunisie.

Un soir, je m'aperçus que je m'étais égaré. Autour de moi, c'est un désert: pas une maison, pas un passant. Me trouvant près d'un bouquet de citronniers, je décide de m'installer sous un des arbres.

Je déposai mes deux paquets et, comme les nuits sont fraîches dans ce pays-là, j'en ouvris un: je pris un des bonnets, et l'enfonçant sur mes oreilles, je m'endormis.

Quand je m'éveillai, j'allai à mon paquet que je n'avais pas cru nécessaire de refermer, pour y remettre mon bonnet. Mais les autres n'y étaient plus! Entendant du bruit dans les branches, je lève les yeux, et j'aperçois des singes accrochés là, à me regarder, ayant chacun un bonnet sur la tête. C'était un spectacle très amusant, tous ces animaux coiffés d'un bonnet, mais je n'avais pas envie de rire.
Comment leur reprendre mes bonnets? J'essayai tout—gestes, menaces, grimaces—mais les singes ne firent que m'imiter. Enfin je ramassai un citron et le jetai sur un des singes: aussitôt tous me lancèrent à leur tour des citrons sur la tête. La colère me prit; je jetai des citrons partout où je voyais un singe. Peine inutile.
Mais soudain il me vint une idée excellente, comme il en vient souvent à nous autres de Gascogne. Je lève la main droite: tous les singes m'imitent; je saisis mon bonnet et je le lance par terre: les singes font de même et c'est une pluie de bonnets. Je les ramassai tous, et je partis à toute vitesse.

A. Questions

1) Pourquoi Marius se trouvait-il en Tunisie?
2) Décrivez l'endroit où Marius s'est égaré un jour.
3) Qu'est-ce qu'il a fait pour se protéger contre le froid?
4) Quelle découverte a-t-il faite en se réveillant?
5) Donnez deux raisons pour expliquer comment les singes avaient pu prendre les bonnets.
6) Pourquoi Marius n'a-t-il pas ri à la vue des singes?
7) Qu'est-ce qui se passerait si Marius criait des insultes aux singes?
8) A quel moment Marius a-t-il commencé à se mettre en colère?
9) Expliquez ce qu'il a fait enfin pour reprendre les bonnets aux singes.
10) Marius a-t-il passé une seconde nuit sous les palmiers?

B. Compositions

1) Un client écrit au directeur de la firme de Marius disant qu'on lui a vendu un bonnet sale et demandant une explication. Imaginez la réponse du directeur.
2) Imaginez un dialogue entre Marius et quelqu'un à qui il essaie de vendre des bonnets.
3) Un des singes raconte cet incident à ses camarades. Imaginez ce qu'il leur dit.

7. Arthur

Cet après-midi, j'ai poussé Arthur dans le bassin. Il est tombé et il s'est mis à faire glou-glou avec sa bouche, mais il criait aussi et on l'a entendu. Papa et maman sont arrivés en courant. Maman pleurait parce qu'elle croyait qu'Arthur était noyé. Il ne l'était pas. Le docteur est venu. Arthur va très bien maintenant. Il a demandé du gâteau à la confiture et maman lui en a donné. Pourtant, il était sept heures, presque l'heure de se coucher quand il a réclamé ce gâteau et maman lui en a donné quand même. Arthur était très content et très fier. Tout le monde lui posait des questions. Maman lui a demandé comment il avait fait pour tomber, s'il avait glissé et Arthur a dit que oui, qu'il avait trébuché. C'est chic à lui d'avoir dit ça, mais je lui en veux quand même et je recommencerai à la première occasion.

D'ailleurs, s'il n'a pas dit que je l'avais poussé, c'est peut-être tout simplement parce qu'il sait très bien que maman a horreur des rapportages.(1) L'autre jour, je lui avais serré le cou avec la corde à sauter. Il est allé se plaindre à maman en disant: «C'est Hélène qui m'a serré comme ça.» Maman lui a donné une fessée terrible en lui disant: «Il ne faut jamais faire des rapportages!» Et quand papa est rentré, elle lui a raconté l'affaire et papa s'est mis aussi en colère. Arthur a été privé de dessert. Alors, il a compris et, cette fois, comme il n'a rien dit, on lui a donné du gâteau à la confiture: j'en ai demandé aussi à maman, trois fois, mais elle a fait semblant de ne pas m'entendre. Est-ce qu'elle se doute(2) que c'est moi qui ai poussé Arthur?

(1) les rapportages: *telling tales* (2) se douter: *to suspect*

(*Jean-Charles Jehanne: Les Plumes du Corbeau, Pauvert*)

A. Questions

1) Pourquoi le père et la mère d'Arthur sont-ils venus?
2) Qu'est-ce qu'on a fait pour s'assurer qu'Arthur n'était pas malade?
3) Expliquez la surprise d'Hélène quand on a donné du gâteau à Arthur.
4) Pour quelles raisons Arthur était-il maintenant très content et très fier?
5) Qu'est-ce que tout le monde voulait savoir?
6) Qu'est-ce qui montre qu'Hélène ne regrettait pas ce qu'elle avait fait?

7) Pourquoi Arthur n'a-t-il pas dit qu'Hélène l'avait poussé dans le bassin?
8) Pourquoi sa mère avait-elle puni Arthur après l'incident de la corde à sauter?
9) Qu'est-ce qu'Hélène s'est demandé quand on ne lui a pas donné de gâteau?
10) Quelle est votre opinion d'Hélène?

B. **Compositions**

1) Arthur raconte l'incident à un camarade, ou à son oncle favori. Imaginez son récit.
2) Imaginez un incident où Arthur se venge sur sa sœur. Imaginez que vous êtes Arthur **ou** Hélène.
3) Le père et la mère discutent ensemble la conduite d'Hélène. Imaginez leur dialogue.

8. La Peur

C'était l'hiver dernier, dans une forêt du nord-est de la France. J'allais là pour chasser.

J'avais pour guide un paysan; nous devions coucher chez un garde forestier. Chemin faisant, mon guide me dit que cet homme avait tué un braconnier(1) deux ans auparavant. Depuis ce temps il semblait hanté d'un souvenir. Ses deux fils, mariés, vivaient avec lui.

Arrivés à la maison, nous vîmes un inoubliable tableau: un vieil homme debout au milieu de la cuisine, le fusil chargé dans la main; deux grands gaillards gardant la porte, armés de haches; et, dans les coins sombres, deux femmes à genoux, le visage caché contre le mur.

Après nous avoir accueillis, le vieux me dit brusquement:

— Voyez-vous, Monsieur, j'ai tué un homme il y a deux ans, cette nuit. L'autre année, il est revenu m'appeler. Je l'attends encore ce soir.
Je le rassurai comme je pus; je racontai des histoires et je parvins à les calmer.
Malgré mes efforts, cependant, je sentais qu'une terreur profonde tenait ces gens, et chaque fois que je cessais de parler, toutes les oreilles écoutaient au loin.
J'avais remarqué, endormi près du feu, un vieux chien, un de ces chiens qui ressemblent à des gens qu'on connaît. Or, soudain, le chien s'éveilla et se mit à hurler vers quelque chose d'invisible. Le garde cria: «Il le sent! Il était là quand je l'ai tué!» Et les deux femmes aussi se mirent à hurler. Enfin mon guide, pris d'une sorte de terreur furieuse, saisit l'animal et, ouvrant la porte de derrière, le jeta dehors.

Après un long silence nous entendîmes un léger grattement contre le mur du dehors; puis soudain une tête apparut à une petite fenêtre basse près de la porte de devant, une tête blanche avec des yeux lumineux. . . . .

(1) un braconnier: *a poacher*

(*Maupassant: La Peur*)

A. **Questions**

1) Pourquoi le narrateur se trouvait-il dans la forêt?
2) Quand le narrateur a-t-il appris l'histoire du garde et du braconnier?
3) Quel est le souvenir qui hantait le garde?
4) Combien de personnes vivaient avec le garde?
5) Pourquoi les trois hommes de la famille sont-ils armés?
6) Comment le narrateur a-t-il essayé de calmer la famille?
7) Qu'est-ce qui montre la terreur de la famille?
8) Comment le garde a-t-il expliqué les hurlements du chien?
9) Pourquoi le guide a-t-il jeté le chien dehors?
10) Qu'est-ce que les gens dans la maison comprendraient en entendant le grattement et en voyant la tête, s'ils n'étaient pas pris de terreur?

B. **Compositions**

1) Un des fils du garde raconte les événements à un camarade. Imaginez son récit.
2) Imaginez la suite de cette histoire, où le vieux garde tire un coup de fusil, et qui commence par les mots «Alors un bruit formidable a éclaté dans la maison.»
3) Le lendemain, le narrateur rencontre, quelque part dans la forêt, un homme mystérieux qui dit qu'il cherche le garde forestier. Imaginez leur dialogue.

9.

(Allow 30-40 minutes)

Read carefully the following passage. Do **not** translate it. **Answer in French** the questions printed below, **as if you were Jacques.** Your answers should be in the form of complete sentences, the tense of which should suit those of the questions. You **must not** use the Past Historic tense (sometimes called the Past Definite or Preterite), e.g. je parlai. Your answers should not consist mainly of phrases taken from the passages or from the questions. Credit will be given for the quality of the French used.

Un petit garçon regarde avec émotion un drame qui se passe sur le toit d'une maison voisine

La veille du 14 juillet, à trois heures et demie, en allant à la rencontre de ses frères, Jacques, enfant de douze ans, fut étonné de voir une foule de gens devant la grille des Maréchaud, qui habitaient à côté. Quelques chênes cachaient en partie leur villa au fond du jardin. A deux heures de l'après-midi, leur jeune bonne s'était réfugiée sur le toit de la villa et refusait de descendre. On disait qu'elle avait, dans un accès de colère, cassé toute la vaisselle. Déjà les Maréchaud, épouvantés par le scandale, avaient fermé leurs volets, si bien que la maison paraissait abandonnée. Des gens criaient, s'indignaient que ses maîtres ne faisaient rien pour sauver cette malheureuse fille qui se promenait sur le toit. Jacques aurait voulu pouvoir rester là, mais sa sœur, envoyée par sa mère, vint le rappeler à la maison. Il s'en alla, priant Dieu que la bonne fût encore sur le toit lorsqu'il irait chercher son père à la gare.

A six heures, revenu de la gare avec ses parents, il vit qu'elle était toujours à son poste. Les pompiers arrivèrent à ce moment-là, et fendirent la foule. Au nombre de six, ils escaladèrent la grille, entourèrent la maison, grimpant de tous les côtés. Mais à peine l'un d'entre eux eut-il apparu sur le toit que la bonne, s'armant de tuiles, en envoya une sur son casque. Les cinq autres redescendirent aussitôt.

Enfin la foule se dispersait. Jacques aurait voulu rester là avec son père. Il lui demanda de le prendre sur ses épaules pour mieux voir. En réalité le pauvre enfant allait s'évanouir, ses jambes ne le portaient plus.
«Comme tu es pâle!» lui dit sa mère.
«C'est la lumière», répondit-il.
«Je crains tout de même que cet incident ne l'impressionne trop», dit-elle.
«Oh», répondit son père, «personne n'est plus insensible. Il peut regarder n'importe quoi.»

Questions

Answer, where necessary, as if you were Jacques, *e.g.*

Q: *Quel âge as-tu?* A: *J'ai douze ans.*

1) A quelle date, précisément, ces événements ont-ils eu lieu?
2) Deux fois tu es sorti de la maison. Où allais-tu (a) la première fois, (b) la deuxième fois?
3) Qu'est-ce qui t'empêchait de voir toute la villa?
4) Depuis combien de temps la bonne était-elle sur le toit quand ton père est arrivé de la gare?
5) Pourquoi est-ce qu'on croyait que la bonne avait cassé toute la vaisselle?
6) Pourquoi est-ce que les Maréchaud avaient fermé leurs volets?
7) Qu'est-ce que la foule a fait (a) au début, (b) ensuite?
8) Pourquoi as-tu été obligé de quitter la grille?
9) Pourquoi les pompiers sont-ils descendus du toit si rapidement?
10) Quelle était la véritable raison pour laquelle tu as demandé à ton père de te prendre sur ses épaules?
11) Qu'est-ce que ta mère a pensé quand tu étais si pâle, et quelle a été la réaction de ton père à cette inquiétude?

(Joint Matriculation Board, "Lancashire and Cheshire Syllabus", June 1967)

10.

(Allow 50-60 minutes)

Read carefully the following passage. Then, **without translating** it, answer **in French** the questions following it. (The Past Historic Tense should not be used in your answers)

The Chase

André Cochu décida d'attendre le Polonais, Boris Kumak, de l'autre côté de la rue. Comme il allait traverser, il vit Boris sur la bicyclette de Jeannette Clouzot.

— Kumak! cria-t-il. Descends un peu. . . . .

— Je n'ai pas le temps, répondit Kumak. Mais Cochu se planta dans la rue, ses longs bras étendus, et, surpris, Kumak mit pied à terre.

— Vas-tu nous dire où tu allais comme ça, monstre? demanda Cochu.

— Chercher mon couteau que j'ai oublié sur la table à la ferme. Un beau couteau que ma femme m'a acheté pour Noël.

— Tu vas chercher un couteau avec un gros sac? dit Cochu en soulevant la grosse sacoche de cuir que Kumak portait sur l'épaule. Dis plutôt que tu as découvert l'argent caché et tu cours le voler?

Kumak essaya de passer, et Cochu essaya de l'en empêcher. Heureusement pour Kumak, le grand Robert arriva à ce moment-là derrière Cochu, et l'entoura de ses bras. Il le retint sur place en criant:

— Sauve-toi donc, Kumak, pendant qu'il ne peut plus remuer!

Et Kumak saisit l'occasion et partit comme une flèche.

Échappé enfin des bras de Robert, Cochu parcourut le village en appelant tous les paysans.

— Kumak a trouvé l'argent caché! Il vient de partir pour le prendre! Kumak a trouvé l'argent caché!

Femmes et hommes, tous se précipitèrent vers la ferme, et loin devant eux, Cochu gesticulait et trottait. D'autres gens se joignaient au groupe, curieux, impatients de voir enfin tout cet argent dont on avait tant parlé depuis des mois. Ils étaient une quinzaine en arrivant à la ferme.

— Voilà la bicyclette contre la maison, cria Cochu. Il est bien là! Comme ils s'approchaient, Kumak apparut à la porte, et, terrifié, s'enfuit dans les champs, vers la haie qui bordait la rivière.

— On l'aura! cria Auguste Tellier. On l'aura! Coupe à gauche, Cochu. Moi, je couperai à droite!

Kumak se retourna, vit Cochu tout près, une grosse fourche à la main. Essoufflé, les jambes lourdes, il prit des pièces d'argent dans son sac et les jeta derrière lui. La foule s'arrêta net, courut de nouveau en tous sens. Dix fois Boris Kumak jeta sa poignée d'argent: dix fois les paysans tombèrent sur les pièces qui roulaient sous leurs pieds. Le sac était presque vide. Bientôt Boris laissa tomber sa dernière poignée d'argent, et levant la tête, il vit entre deux arbres un Allemand qui le visait, le fusil à l'épaule.

— Camarade! cria Kumak. Camarade!

La détonation couvrit sa voix. Il fit encore quelques pas, plia les genoux et tomba, son visage rouge illuminé de soleil.

Questions

1) Pourquoi Cochu s'est-il planté au milieu de la rue quand il a vu Kumak?
2) Où est-ce que Kumak a dit à Cochu qu'il allait, et quelle raison a-t-il donnée?
3) Est-ce que Cochu a cru cette explication ou non? Pourquoi?
4) Comment Kumak a-t-il réussi à échapper des mains de Cochu?
5) Pourquoi tous les gens du village ont-ils suivi Cochu?
6) Pourquoi Kumak est-il arrivé à la ferme longtemps avant les autres, et qu'est-ce qu'il y a fait?
7) Comment Auguste Tellier a-t-il proposé d'arrêter Kumak?
8) Comment Kumak a-t-il essayé d'arrêter la foule qui le poursuivait?
9) Pourquoi Kumak a-t-il crié «Camarade»?
10) Pourquoi Kumak est-il tombé à la fin?

(*Associated Examining Board, June* 1967)

B. COMPREHENSIONS WITH QUESTIONS AND ANSWERS IN ENGLISH

NOTE TO TEACHERS

There are more passages for the pupils to do unseen in the Supplementary Booklet.
If you need still more material, you may use the passages which we have included in the Aural Test section in the Supplementary Booklet.

HINTS FOR PUPILS

1) Read the passage carefully at least twice.
2) Answer in complete sentences.
3) Include all relevant details, but do not embroider the story with imaginative extras.

PASSAGES FOR COMPREHENSION

1. A young man waits in vain

Mon cher François,

Aujourd'hui dès mon arrivée à Paris, je suis allé devant la maison indiquée. Je n'ai rien vu. Il n'y avait personne. Il n'y aura jamais personne.

La maison est un petit hôtel à un étage. La chambre de Mademoiselle de Galais doit être au premier. Les fenêtres du haut sont les plus cachées par les arbres. Mais en passant sur le trottoir on les voit très bien. Tous les rideaux sont fermés et il faudrait être fou pour espérer qu'un jour entre ces rideaux tirés, le visage d'Yvonne de Galais puisse apparaître.

C'est sur un boulevard. Il pleuvait un peu dans les arbres verts. On entendait les cloches claires des tramways qui passaient.

Pendant près de deux heures, je me suis promené de long en large sous les fenêtres. Il y a un marchand de vins chez qui je me suis arrêté pour boire, de façon à n'être pas pris pour un bandit qui veut faire un mauvais coup. Puis j'ai recommencé à attendre sans espoir.

La nuit est venue. Les fenêtres se sont allumées un peu partout mais non pas dans cette maison. Il n'y a certainement personne. Et pourtant Pâques approche.

Au moment où j'allais partir, une jeune fille, ou une jeune femme—je ne sais—est venue s'asseoir sur un des bancs mouillés de pluie. Elle était vêtue de noir avec une petite collerette blanche. Lorsque je suis parti, elle était encore là, immobile malgré le froid du soir, à attendre je ne sais quoi, je ne sais qui. Tu vois que Paris est plein de fous comme moi.

(*from «Le Grand Meaulnes», Alain-Fournier*)

Questions:

1) When did the writer go to the house?
2) Why was it difficult to see the upper windows?
3) What did the writer desperately want to see happen one day?
4) What details are given about the road on which the house is situated?
5) Why did he buy himself a drink?
6) What distinguished the house he was watching from the others?
7) What happened when he was about to leave?
8) Where did the woman sit and when did she leave?
9) What shows that the writer felt that they had something in common?

2. A German officer is satisfied with his lodgings

Le lendemain matin l'officier descendit quand nous prenions notre petit déjeuner dans la cuisine. Un autre escalier y mène et je ne sais si l'Allemand nous avait entendus ou si ce fut par hasard qu'il prit ce chemin. Il s'arrêta sur le seuil et dit: «J'ai passé une très bonne nuit. Je voudrais que la vôtre était aussi bonne.» Il regardait la vaste pièce en souriant. Comme nous avions peu de bois et moins encore de charbon, je l'avais repeinte, nous y avions amené quelques meubles, des cuivres et des assiettes anciennes, afin d'y confiner notre vie pendant l'hiver. Il examinait cela et l'on voyait luire le bord de ses dents très blanches. Je vis que ses yeux n'étaient pas bleus comme je l'avais cru, mais dorés. Enfin il traversa la pièce et ouvrit la porte sur le jardin. Il fit deux pas et se retourna pour regarder notre longue maison basse, couverte de treilles, aux vieilles tuiles brunes. Son sourire s'ouvrit largement.

«Votre vieux maire m'avait dit que je logerais au château», dit-il en désignant d'un revers de main la prétentieuse bâtisse que les arbres dénudés laissaient apercevoir un peu plus haut sur le coteau. «Je féliciterai mes hommes qu'ils se sont trompés. Ici c'est un beaucoup plus beau château.»

Puis il referma la porte, nous salua à travers les vitres, et partit.

(*from «Le Silence de la Mer», Vercors, by permission of M. Jean Bruller*)

Questions

1) What were the soldier's opening remarks?
2) What changes had been made to the kitchen?
3) What had made these changes necessary?
4) What mistake did the writer realise he had made about the soldier's appearance?
5) Mention **three** features of the external appearance of the house.
6) How did the soldier react to seeing the house from the garden?
7) Where was the German to have been billeted and who had told him?
8) Why was he not staying there?
9) What did he do before leaving?

3. A frightening apparition

Le roi s'arrêta devant la fenêtre qui donnait sur la cour. Son cabinet se trouvait à peu près en face de la grande salle où s'assemblaient les ministres quand ils devaient recevoir quelque communication de la couronne. Les fenêtres de cette salle semblaient en ce moment éclairées d'une vive lumière. Cela parut étrange au roi. On aurait pu l'attribuer à un incendie, mais on ne voyait pas de fumée, les vitres n'étaient pas brisées, nul bruit ne se faisait entendre.

Charles regarda ces fenêtres quelque temps sans parler. Cependant le chambellan, étendant la main vers le cordon d'une sonnette, se disposait à sonner un page pour l'envoyer reconnaître la cause de cette singulière clarté, mais le roi l'arrêta. «Je veux aller moi-même dans cette salle», dit-il. En achevant ces mots, on le vit pâlir, pourtant il sortit d'un pas ferme; le chambellan et le médecin le suivirent, tenant chacun une bougie allumée.

Le concierge qui avait la charge des clefs était déjà couché. Le médecin alla le réveiller et lui ordonna, de la part du roi, d'ouvrir sur-le-champ la porte de la grande salle. La surprise de cet homme fut grande à cet ordre inattendu; il s'habilla à la hâte et joignit le roi avec son trousseau de clefs. D'abord il ouvrit la porte d'une galerie qui servait d'antichambre à la salle. Et le roi, marchant d'un pas rapide, était déjà parvenu à plus de deux tiers de la galerie. «N'allez pas plus loin, sire!» s'écria le concierge. «Sur mon âme, il y a de la sorcellerie dedans. A cette heure et depuis la mort de la reine, votre gracieuse épouse . . . on dit qu'elle se promène dans cette galerie . . . Que Dieu nous protège!»

(*from «Vision de Charles XI», Mérimée*)

Questions

1) Where was the king's study?
2) What was the function of the large hall?
3) What suggested that it was not a fire which caused the light?
4) What did the chamberlain do and why?
5) What do we know of the king's feelings, after he declares his intention to investigate?
6) How did the king find his way in the dark?
7) What did the king have to do to gain access to the hall?
8) Where was the king when the porter cried out?
9) Why was the porter so alarmed?

4. Exploring the moon

L'un des astronautes, sa charge d'oxygène attachée aux épaules, descend une échelle de métal. Il pose son pied sur la lune. Il se trouve dans un pays de désolation silencieuse, incroyablement stérile. Le ciel noir, au-dessus de sa tête, est rempli d'étoiles mais aucune ne scintille. L'homme s'avance avec prudence. Il reste à proximité immédiate de l'engin. Il a du mal à marcher car, ici, il ne pèse guère plus de 15 kilos. Ses outils, ses habits, son équipement sont six fois plus légers que sur la terre.

Sa combinaison a été conçue pour lui assurer le maximum de mobilité, de confort et de sécurité. L'extérieur, un peu semblable à une armure, le protège contre les astéroïdes qui le giflent comme autant de grains de sable. Le voici qui prend des photos comme un vulgaire touriste. Puis il se fait géologue: il ramasse des spécimens de rochers, de poussière de tout ce qu'il trouve. Il met en place des instruments qui mesureront les radiations, les tremblements de lune, le champ magnétique et qui enverront à la terre par télémétrie de nombreux renseignements longtemps après qu'il sera parti. L'explorateur sait que sa réserve d'oxygène lui permet de tenir de six à huit heures mais—suivant le plan prévu—il revient à l'insecte au bout de quatre heures. Son camarade sort à son tour la même durée. Ils sont reliés l'un à l'autre par un «walkie-talkie» car, sans atmosphère, le son ne voyage pas.

La durée totale du séjour sur la lune est de vingt-quatre heures. Après leur exploration les astronautes ont donc le temps de prendre une nuit complète de sommeil. A leur réveil, ils commencent le compte à rebours. Sur terre, des centaines de techniciens avaient aidé au départ de leur fusée; maintenant ils sont seuls. Ils doivent tout vérifier eux-mêmes. Heureusement leur équipement est largement automatique et ils peuvent recevoir des conseils de la terre.

Questions

1) State three features of the lunar landscape.
2) What is the effect of his weight upon the astronaut?
3) Account for the appearance of the spacesuit.
4) What is the astronaut compared to and why?
5) What information will be provided by the instruments he sets up?
6) Why does he stay outside for only four hours?
7) Why is it necessary for the astronauts to have radio contact with each other?
8) How is the take-off from the moon different from the take-off from the earth?
9) How is the task of take-off made easier?

8 AURAL TESTS

NOTE TO TEACHERS

The passages to be read for these Aural Comprehension tests are to be found in the Supplementary Booklet, together with the instructions on the way the tests are to be presented.

HINTS FOR PUPILS

1) During the first reading of the passage, you are not allowed to look at the questions. Concentrate very hard in order to get as clear an idea as possible of the meaning of the passage. Do not panic if there appear to be some hard words you have not come across before—it is unlikely that you will be asked about them.
2) Next you read the questions, carefully and slowly. This will help you to know to which details to pay particular attention in the second reading.
3) The second reading will be in three sections. After each section there will be a pause of five minutes during which you must write your answers to the questions on that section. You must not make notes during the reading.
4) Keep your answers concise and include only the relevant details. Don't forget to read the title of the passage!

1. An attempted assassination misfires

Section A

1) Describe Julien's shooting.
2) What did he see on coming to his senses?
3) Why did he fall over?
4) Why did he not shoot the gendarme?

Section B

5) What precautions were taken when Julien arrived at the prison?
6) What did he see as the outcome of his deed?

Section C

7) When had the second shot been fired?
8) What injury did Madame de Rênal suffer?
9) How is a pillar involved in this attack?

2. A trip to the country

Section A

1) Where exactly was the inn situated?
2) Describe what could be seen through the open door.

Section B

3) Where did the coach stop?
4) Who got down first, and what did this person then do?
5) What indication is there of Madame Dufour's size?
6) What did this lady do on getting out of the coach?

Section C

7) What did the two children do so that they could get down easily?
8) What happened to the horse and to the coach?
9) Mention the two things the men did before rejoining their ladies.

3. A confidence trickster goes too far

Section A

1) When did Madame Cécile indulge in her dishonesty?
2) Why, according to Madame Cécile, was she unable to pay for the chicken?
3) What favour did she ask of the butcher?

Section B

4) What was the reaction to this request?
5) What did she do with the chicken at the grocer's?
6) What was her promise and did she keep it?

Section C

7) How did she obtain the food mixer?
8) What pattern did her trickery follow?
9) What was the outcome of her dealings?

4. A Chinese marriage

Section A

1) Where do the celebrations take place?
2) Who are the guests and about how many could there be?
3) What foods are traditionally required for the wedding feast?

Section B

4) What ceremonial action does the bride make before bowing?
5) How many times does the couple bow and to whom?
6) What question is asked of the pair?

Section C

7) What reasons are given for their not answering immediately?
8) What is the aim of the questioners?
9) Mention two of the things the couple has to do before the general feasting starts.

5. The children return to their sick father

Section A

1) When did the children set out?
2) By what transport did the grandfather and younger children travel?
3) What did Louise ask Étienne, the driver, to do, and what was the reply?
4) What had often happened on previous occasions when they arrived at the house?

Section B

5) What did Louise do when she saw her mother?
6) What are we told about the father's condition, and about Aunt Bernardine?
7) What, according to the mother, was the cause of her husband's illness? What were the symptoms?

Section C

8) Describe the son's feelings, and what he did, immediately on entering his father's room.
9) What was the father's profession?
10) What did the father do as soon as his son walked in?
11) How did the son react after this, and for what reason? What did his father say?

(*Joint Matriculation Board, June* 1968)

9 ORAL EXAMINATION

NOTE TO TEACHERS

Tape D has been designed to help in revising and preparing for the oral examination. It can be used in class, a section at a time, or it can be copied for use in the language laboratory.
Pupils who have their own tape recorder should be encouraged to use parts of this tape at home.

HINTS FOR PUPILS

Tape D has been designed to help you improve your pronunciation and your ability to keep up a simple French conversation. Here is a summary of what you will hear on the tape.

1) **Front vowels**

   i) **i**: *dis, lit, qui, si*
   ii) **é**: *des, les, quai, ses*
   iii) **è**: *lait, mais, père, c'est*
   iv) **a**: *cap, la, papa, sa*

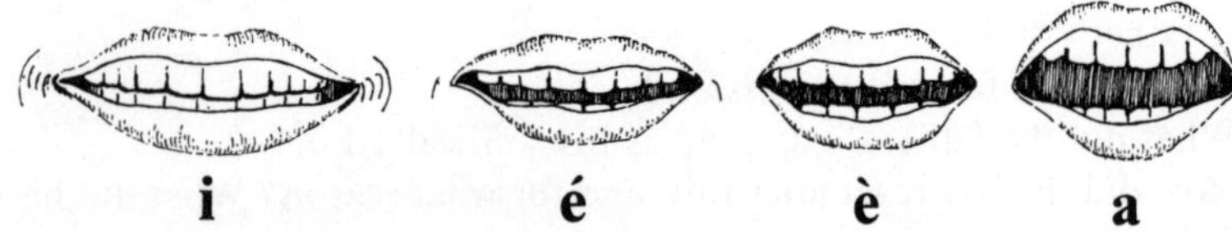

Words and phrases containing two of the sounds:

i and **é**: *fixer, récit, cité*
é and **è**: *élève, j'ai treize frères*
è and **a**: *c'est ça, faites-la!*

Sentences containing all four vowels:

Il y a quatre élèves ici.
Mets ta valise là, Étienne!

2) **Back vowels**

   i) **ou**: *coup, douze, rouge, tout*
   ii) **au**: *beau, chaud, faut, sceau*
   iii) **o**: *homme, note, poste, tort*
   iv) **as**: *bas, grâce, sable, trois*

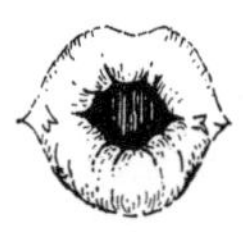
ou

au

o

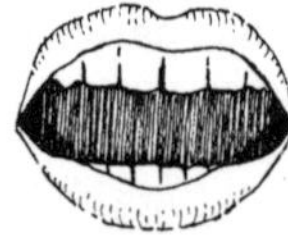
as

Words and phrases containing two of the sounds:

ou and **au**: *autour, l'eau douce, faubourg*
o and **as**: *trois pommes, des sables monotones*

3) **Unaccented e**

   e: *de, me, que, te*

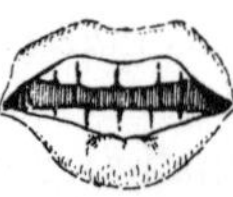
e

4) **Front rounded vowels**

   i) **u**: *jupe, rue, sur, une*
   ii) **eu**: *ceux, deux, peu, yeux*
   ii) **œ**: *fleuve, neuf, œuf, seul*

u

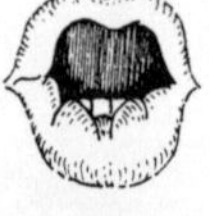
eu

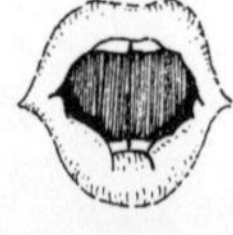
œ

Sentences containing all three vowels:

Une de mes sœurs peut mieux faire.
Tu as eu neuf heureux bébés.
Heureusement les deux murs sont neufs.

5) **Nasal vowels**

i) **in**: *main, pain, vingt-cinq*
ii) **un**: *brun, d'un, qu'un*
iii) **on**: *bon, dont, sont, vont*
iv) **an**: *dent, Jean, lent, sans*

in

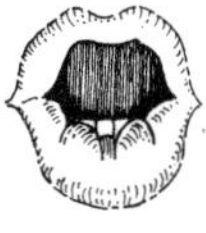

un

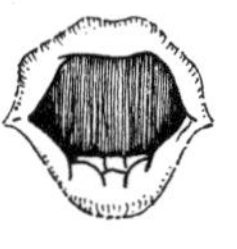

on

an

Listen carefully to these contrasting pairs:

dont, dans; sont, sent; mon, ment; long, lent

6) **Difficult consonants**

i) **p**: *paire, panier, passe, pont*
ii) **t**: *table, tout, toute, tu*
iii) **b**, **d**, **g**: *bébé, bonne, dedans, dessous, garder, goûter*
iv) **l**: *école, facile, siècle, règle*
v) **r**: *rat, René, roi, rue,*
bureau, curé, Europe, furieux
par, père, port, pur

7) **Reading passage**

Mon petit fils est très curieux / et très bavard. / Chaque fois qu'un ouvrier / vient chez nous, / il se tient à côté de lui / et lui pose mille questions. /
Hier un homme est venu / installer une nouvelle cuisinière. / Il a tout de suite vu / à qui il avait affaire / et s'est écrié: /
— Ah, très bien! / Tu vas m'aider, petit. /
Et il a fixé une énorme clef anglaise / au bout d'un tuyau / qui se trouve près de la porte d'entrée. /
— Tiens ça, / et surtout ne la lâche pas! /
Tout fier, / mon fils est resté là, / sans mot dire, / pendant tout le temps qu'a duré le travail. /

8) **Intonation**

i) Stressing last syllable of words: *inutile, destination, malheureusement*
ii) Stressing last syllable of a short word-group: *Asseyez-vous!; le père de Michel; depuis une semaine*
iii) The steadily falling pattern is the normal one: *Tu en vois six; C'est une auto; Nous sommes arrivés*
iv) In longer sentences there is a slight rise at the end of each word-group, except the last:
Nous sommes arrivés . . . par le train.
C'est une auto . . . que je n'aime pas.
Tu en vois six . . . qui sont à nous.
En revenant de Paris, . . . nous avons remarqué
. . . les travaux . . . sur la ligne de Rouen.
C'est lui . . . qui a remporté . . . le premier prix.
Pour aller . . . à l'étranger . . . il faut . . . un passeport.

9) **Normal and interrogative intonation**

Vous aimez les glaces.	*Vous aimez les glaces?*
Ce sont elles.	*Ce sont elles?*

10) **Questions**

Here we start at the top of the scale and go down steadily with a slight upward turn on the last note:
Quand viendra-t-elle?
Où est-il allé?
Qui leur a écrit?
Est-ce que Pierre est ici?
Qu'est-ce que nous allons faire?

11) **Intonation with quel, etc.**

Quel has the top note still, but its noun has the stress:

Quel jour sommes-nous aujourd'hui?
Quel est son nom?

12) **Commands and requests**

We start on a high note and go down, this time without any rise at the end:

Passe-moi la moutarde!
Par ici, Messieurs!
Faites le plein!

13) **Intonation practice passage 1**

HOMME *Ah, bonjour, Madame. / Comment allez-vous? /*
FEMME *Très bien merci, Monsieur. / Et vous-même? /*
HOMME *Ça va, ça va, merci, Madame. / Vous êtes pressée, peut-être? /*
FEMME *Oui, malheureusement. / Je dois prendre le train de 10 heures. /*
HOMME *Eh, mais il est déjà moins cinq. / Je ne veux pas vous retenir. /*
FEMME *Au revoir, Monsieur. / Bonne journée! /*
HOMME *Au revoir, Madame. / Bon voyage! /*

14) **Intonation practice passage 2**

GARÇON *Salut, Jeanne. / Ça va? /*
JEUNE FILLE *Oui, Michel, ça va merci. /*
GARÇON *On pourrait aller au dancing samedi soir? /*
JEUNE FILLE *Ah non, je regrette / mais ce n'est pas du tout possible. / Il y a ma tante qui arrive samedi soir. /*
GARÇON *Zut alors! / La semaine suivante, peut-être? /*
JEUNE FILLE *Avec plaisir. / Tu danses si bien, Michel. / Tu es formidable. /*
GARÇON *Mais non, ce n'est pas ça. / Tu sais très bien / que c'est moi qui paie les entrées. /*
JEUNE FILLE *A bientôt, Michel. /*
GARÇON *A bientôt, alors, Jeanne. /*

15) The remainder of the tape has six interviews recorded on it. You will hear full instructions for using the interviews on the tape. The speakers are discussing these subjects:

i) their family
ii) their home
iii) where they live
iv) how they spend their out-of-school time
v) their holidays
vi) their career

REGULAR VERBS

—ER

Infinitive, Present participle Past participle	*Present*	*Imperative*	*Future*	*Perfect*	*Imperfect*	*Conditional*	*Pluperfect*	*Future Perfect*	*Past Historic*	*Present Subjunctive*
PORTER portant, porté	je porte tu portes il porte nous portons vous portez ils portent	porte! portons! portez!	je porterai tu porteras il portera nous porterons vous porterez ils porteront	j'ai porté tu as porté il a porté nous avons porté vous avez porté ils ont porté	je portais tu portais il portait nous portions vous portiez ils portaient	je porterais tu porterais il porterait nous porterions vous porteriez ils porteraient	j'avais porté tu avais porté il avait porté nous avions porté vous aviez porté ils avaient porté	j'aurai porté tu auras porté il aura porté nous aurons porté vous aurez porté ils auront porté	je portai tu portas il porta nous portâmes vous portâtes ils portèrent	je porte tu portes il porte nous portions vous portiez ils portent

N.B. Some verbs of the **-er** conjugation, which mainly follow the above pattern, have some irregularities.

1) Verbs ending in **-eler** and **-eter**, double the **l** or **t** when the following syllable is mute. e.g. appeler: (present) j'appelle, tu appelles, il appelle, nous appelons, vous appelez, ils appellent; (future) j'appellerai etc.
2) Verbs ending in **-cer** have a cedilla under the **c** before **a** or **o** to keep the c soft. e.g. commencer: nous commençons, je commençais, il commença.
3) Verbs ending in **-ger** have an **e** after the **g** when the following letter is **a** or **o**. e.g. manger: nous mangeons, tu mangeais, je mangeai.
4) Verbs like lever, mener, acheter, geler have a grave accent on the **e** when the following syllable is mute, e.g. je lève, tu lèves, il lève, nous levons, vous levez, ils lèvent. (future) je lèverai.
5) The same applies to verbs which have an é acute like espérer, préférer, protéger, posséder, e.g. (present) J'espère, tu espères, il espère, nous espérons, vous espérez, ils espèrent. The future of these verbs is normal, e.g. j'espérerai.
6) Verbs ending in **-yer** change the **y** to **i** when the next letter is e mute, e.g. (present) j'essaie, tu essaies, il essaie, nous essayons, vous essayez, ils essaient. (future) j'essaierai.

—IR

Infinitive, Present participle Past participle	*Present*	*Imperative*	*Future*	*Perfect*	*Imperfect*	*Conditional*	*Pluperfect*	*Future Perfect*	*Past Historic*	*Present Subjunctive*
FINIR finissant fini	je finis tu finis il finit nous finissons vous finissez ils finissent	finis! finissons! finissez!	je finirai tu finiras il finira nous finirons vous finirez ils finiront	j'ai fini tu as fini il a fini nous avons fini vous avez fini ils ont fini	je finissais tu finissais il finissait nous finissions vous finissiez ils finissaient	je finirais tu finirais il finirait nous finirions vous finiriez ils finiraient	j'avais fini tu avais fini il avait fini nous avions fini vous aviez fini ils avaient fini	j'aurai fini tu auras fini il aura fini nous aurons fini vous aurez fini ils auront fini	je finis tu finis il finit nous finîmes vous finîtes ils finirent	je finisse tu finisses il finisse nous finissions vous finissiez ils finissent

—RE

Infinitive, Present participle Past participle	*Present*	*Imperative*	*Future*	*Perfect*	*Imperfect*	*Conditional*	*Pluperfect*	*Future Perfect*	*Past Historic*	*Present Subjunctive*
VENDRE vendant vendu	je vends tu vends il vend nous vendons vous vendez ils vendent	vends! vendons! vendez!	je vendrai tu vendras il vendra nous vendrons vous vendrez ils vendront	j'ai vendu tu as vendu il a vendu nous avons vendu vous avez vendu ils ont vendu	je vendais tu vendais il vendait nous vendions vous vendiez ils vendaient	je vendrais tu vendrais il vendrait nous vendrions vous vendriez ils vendraient	j'avais vendu tu avais vendu il avait vendu nous avions vendu vous aviez vendu ils avaient vendu	j'aurai vendu tu auras vendu il aura vendu nous aurons vendu vous aurez vendu ils auront vendu	je vendis tu vendis il vendit nous vendîmes vous vendîtes ils vendirent	je vende tu vendes il vende nous vendions vous vendiez ils vendent

REFLEXIVE VERBS

Infinitive, Present participle Past participle	*Present*	*Imperative*	*Future*	*Perfect*	*Imperfect*	*Conditional*	*Pluperfect*	*Future Perfect*	*Past Historic*	*Present Subjunctive*
SE LAVER se lavant	je me lave tu te laves il se lave nous nous lavons vous vous lavez ils se lavent	lave-toi! ne te lave pas! lavons-nous! ne nous lavons pas! lavez-vous! ne vous lavez pas!	je me laverai tu te laveras il se lavera nous nous laverons vous vous laverez ils se laveront	je me suis lavé(e) tu t'es lavé(e) il s'est lavé elle s'est lavée nous nous sommes lavé(e)s vous vous êtes lavé(e)(s) ils se sont lavés elles se sont lavées	je me lavais tu te lavais il se lavait nous nous lavions vous vous laviez ils se lavaient	je me laverais tu te laverais il se laverait nous nous laverions vous vous laveriez ils se laveraient	je m'étais lavé(e) tu t'étais lavé(e) il s'était lavé elle s'était lavée nous nous étions lavé(e)s vous vous étiez lavé(e)(s) ils s'étaient lavés elles s'étaient lavées	je me serai lavé(e) tu te seras lavé(e) etc.	je me lavai tu te lavas ils se lava nous nous lavâmes vous vous lavâtes ils se lavèrent	je me lave tu te laves il se lave nous nous lavions vous vous laviez ils se lavent

IRREGULAR VERBS

How to form all the tenses of irregular verbs, using the following table.

1) **Participles.** The participles are printed in column two. The present participle is printed first and ends in *-ant*; the past participle is printed below it.
2) **Imperative.** The form of the verb used when giving commands is printed out in full, in the order: commands to *tu*, to *nous* and to *vous*.
3) **Present tense.** This is given in full.
4) **Future tense.** The *je* form is given. The future stem is the *je* form without the *-ai*. To the future stem, add the following endings:
   je -ai, tu -as, il -a, nous -ons, vous -ez, ils -ont.
5) **Conditional tense.** Add the following endings to the future stem:
   je -ais, tu -ais, il -ait, nous -ions, vous -iez, ils -aient.
6) **Imperfect tense.** Take the *nous* form of the present tense, knock off the *-ons* and add the following endings:
   je -ais, tu -ais, il -ait, nous -ions, vous -iez, ils -aient.
   (N.B. *être* is an exception: **j'étais, tu étais etc.)**
7) **Past Historic.** The *je* form is given. The endings are:
   je -s, tu -s, il -t, nous -^mes, vous -^tes, ils -rent.
   (N.B. *aller* and *envoyer* have endings like regular *-er* verbs in this tense.)
8) **Perfect tense.** Use the present tense of *avoir* or *être* (see paragraph 31 of Grammar Summary) and the past participle which is given.
9) **Pluperfect tense.** Use the imperfect of *avoir* or *être* and the past participle.
10) **Future Perfect tense.** Use the future of *avoir* or *être* and the past participle.
11) **Present Subjunctive.** Given the je form, the endings are as follows:
    je -e, tu -es, il -e, nous -ions, vous -iez, ils -ent.
12) **The Passive** is formed by using the appropriate tense of *être* and the past participle, e.g. *Il a été envoyé, elle sera punie.*
    Any irregularities have been printed out in full.

Infinitive	*Participle*	*Imperative*	*Present Tense*		*Future*	*Past Historic*	*Present Subjunctive*	
ACCUEILLIR (*to welcome*)	*like* cueillir							
ALLER (*to go*)	allant allé	va (vas-y) allons allez	je vais tu vas il va	nous allons vous allez ils vont	j'irai	j'allai	j'aille tu ailles il aille	nous allions vous alliez ils aillent
APERCEVOIR (*to notice*)	*like* recevoir							
APPARTENIR (*to belong*)	*like* tenir							
APPRENDRE (*to learn*)	*like* prendre							
S'ASSEOIR (*to sit down*)	s'asseyant assis	assieds-toi asseyons-nous asseyez-vous	je m'assieds tu t'assieds il s'assied	nous nous asseyons vous vous asseyez ils s'asseyent	je m'assiérai	je m'assis	je m'asseye tu t'asseyes il s'asseye	nous nous asseyions vous vous asseyiez ils s'asseyent
ATTEINDRE (*to reach*)	atteignant atteint	atteins atteignons atteignez	j'atteins tu atteins il atteint	nous atteignons vous atteignez ils atteignent	j'atteindrai	j'atteignis	j'atteigne	nous atteignions
AVOIR (*to have*)	ayant eu	aie ayons ayez	j'ai tu as il a	nous avons vous avez ils ont	j'aurai	j'eus	j'aie tu aies il ait	nous ayons vous ayez ils aient
BATTRE (*to beat*)	battant battu	bats battons battez	je bats tu bats il bat	nous battons vous battez ils battent	je battrai	je battis	je batte	nous battions
BOIRE (*to drink*)	buvant bu	bois buvons buvez	je bois tu bois il boit	nous buvons vous buvez ils boivent	je boirai	je bus	je boive tu boives il boive	nous buvions vous buviez ils boivent
COMBATTRE (*to fight*)	*like* battre							
COMMETTRE (*to commit*)	*like* mettre							
COMPRENDRE (*to understand*)	*like* prendre							
CONDUIRE (*to drive, lead*)	conduisant conduit	conduis conduisons conduisez	je conduis tu conduis il conduit	nous conduisons vous conduisez ils conduisent	je conduirai	je conduisis	je conduise	nous conduisions
CONNAÎTRE (*to know*)	connaissant connu	connais connaissons connaissez	je connais tu connais il connaît	nous connaissons vous connaissez ils connaissent	je connaîtrai	je connus	je connaisse	nous connaissions
CONSTRUIRE (*to construct*)	*like* conduire							
CONTENIR (*to contain*)	*like* tenir							
CONVAINCRE (*to convince*)	*like* vaincre							
COUDRE (*to sew*)	cousant cousu	couds cousons cousez	je couds tu couds il coud	nous cousons vous cousez ils cousent	je coudrai	je cousis	je couse	nous cousions
COURIR (*to run*)	courant couru	cours courons courez	je cours tu cours il court	nous courons vous courez ils courent	je courrai	je courus	je coure	nous courions
COUVRIR (*to cover*)	*like* ouvrir							
CRAINDRE (*to fear*)	*like* plaindre							
CROIRE (*to believe*)	croyant cru	crois croyons croyez	je crois tu crois il croit	nous croyons vous croyez ils croient	je croirai	je crus	je croie tu croies il croie	nous croyions vous croyiez ils croient

Infinitive	*Participle*	*Imperative*	*Present Tense*		*Future*	*Past Historic*	*Present Subjunctive*	
CUEILLIR	cueillant	cueille	je cueille	nous cueillons	je cueillerai	je cueillis	je cueille	nous cueillions
(*to pick, gather, collect*)	cueilli	cueillons	tu cueilles	vous cueillez				
		cueillez	il cueille	ils cueillent				
CUIRE	cuisant	cuis	je cuis	nous cuisons	je cuirai	je cuisis	je cuise	nous cuisions
(*to cook*)	cuit	cuisons	tu cuis	vous cuisez				
		cuisez	il cuit	ils cuisent				
DÉCOUVRIR (*to discover*)	*like* ouvrir							
DÉCRIRE (*to describe*)	*like* écrire							
DÉTRUIRE (*to destroy*)	*like* conduire							
DEVENIR (*to become*)	*like* venir							
DEVOIR	devant	dois	je dois	nous devons	je devrai	je dus	je doive	nous devions
(*to owe, have to*)	dû (due)	devons	tu dois	vous devez			tu doives	vous deviez
		devez	il doit	ils doivent			il doive	ils doivent
DIRE	disant	dis	je dis	nous disons	je dirai	je dis	je dise	nous disions
(*to say*)	dit	disons	tu dis	vous dites				
		dites	il dit	ils disent				
DISPARAÎTRE (*to disappear*)	*like* connaître							
DORMIR	dormant	dors	je dors	nous dormons	je dormirai	je dormis	je dorme	nous dormions
(*to sleep*)	dormi	dormons	tu dors	vous dormez				
		dormez	il dort	ils dorment				
ÉCRIRE	écrivant	écris	j'écris	nous écrivons	j'écrirai	j'écrivis	j'écrive	nous écrivions
(*to write*)	écrit	écrivons	tu écris	vous écrivez				
		écrivez	il écrit	ils écrivent				
S'ENDORMIR (*to fall asleep*)	*like* dormir							
ENVOYER	envoyant	envoie	j'envoie	nous envoyons	j'enverrai	j'envoyai	j'envoie	nous envoyions
(*to send*)	envoyé	envoyons	tu envoies	vous envoyez			tu envoies	vous envoyiez
		envoyez	il envoie	ils envoient			il envoie	ils envoient
ÉTEINDRE (*to extinguish*)	*like* atteindre							
ÊTRE	étant	sois	je suis	nous sommes	je serai	je fus	je sois	nous soyons
(*to be*)	été	soyons	tu es	vous êtes			tu sois	vous soyez
		soyez	il est	ils sont			il soit	ils soient
FAIRE	faisant	fais	je fais	nous faisons	je ferai	je fis	je fasse	nous fassions
(*to do*)	fait	faisons	tu fais	vous faites				
		faites	il fait	ils font				
FALLOIR (*to be necessary*)	fallu		il faut		il faudra	il fallut	il faille	
INSTRUIRE (*to instruct*)	*like* conduire							
INTERROMPRE (*to interrupt*)	*like* rompre							
JOINDRE	joignant	joins	je joins	nous joignons	je joindrai	je joignis	je joigne	nous joignions
(*to join*)	joint	joignons	tu joins	vous joignez				
		joignez	il joint	ils joignent				
LIRE	lisant	lis	je lis	nous lisons	je lirai	je lus	je lise	nous lisions
(*to read*)	lu	lisons	tu lis	vous lisez				
		lisez	il lit	ils lisent				
MENTIR (*to lie*)	*like* dormir							
METTRE	mettant	mets	je mets	nous mettons	je mettrai	je mis	je mette	nous mettions
(*to put*)	mis	mettons	tu mets	vous mettez				
		mettez	il met	ils mettent				
MOURIR	mourant	meurs	je meurs	nous mourons	je mourrai	je mourus	je meure	nous mourions
(*to die*)	mort	mourons	tu meurs	vous mourez			tu meures	vous mouriez
		mourez	il meurt	ils meurent			il meure	ils meurent
NAÎTRE	naissant	nais	je nais	nous naissons	je naîtrai	je naquis	je naisse	nous naissions
(*to be born*)	né	naissons	tu nais	vous naissez				
		naissez	il naît	ils naissent				
OBTENIR (*to obtain*)	*like* tenir							
OFFRIR (*to offer*)	*like* ouvrir							
OUVRIR	ouvrant	ouvre	j'ouvre	nous ouvrons	j'ouvrirai	j'ouvris	j'ouvre	nous ouvrions
(*to open*)	ouvert	ouvrons	tu ouvres	vous ouvrez				
		ouvrez	il ouvre	ils ouvrent				
PARAÎTRE (*to appear*)	*like* connaître							
PARTIR (*to leave, depart*)	*like* dormir							
PEINDRE (*to paint*)	*like* atteindre							
PLAINDRE	plaignant	plains	je plains	nous plaignons	je plaindrai	je plaignis	je plaigne	nous plaignions
(*to pity*)	plaint	plaignons	tu plains	vous plaignez				
		plaignez	il plaint	ils plaignent				
PLAIRE	plaisant	plais	je plais	nous plaisons	je plairai	je plus	je plaise	nous plaisions
(*to please*)	plu	plaisons	tu plais	vous plaisez				
		plaisez	il plaît	ils plaisent				

Infinitive	*Participle*	*Imperative*	*Present Tense*		*Future*	*Past Historic*	*Present Subjunctive*	
PLEUVOIR (*to rain*)	pleuvant plu		il pleut		il pleuvra	il plut	il pleuve	
POUVOIR (*to be able*)	pouvant pu		je peux (puis-je?) tu peux il peut	nous pouvons vous pouvez ils peuvent	je pourrai	je pus	je puisse	nous puissions
PRENDRE (*to take*)	prenant pris	prends prenons prenez	je prends tu prends il prend	nous prenons vous prenez ils prennent	je prendrai	je pris	je prenne tu prennes il prenne	nous prenions vous preniez ils prennent
PRÉVENIR (*to inform*)	*like* venir							
PRODUIRE (*to produce*)	*like* conduire							
PROMETTRE (*to promise*)	*like* mettre							
RECEVOIR (*to receive*)	recevant reçu	reçois recevons recevez	je reçois tu reçois il reçoit	nous recevons vous recevez ils reçoivent	je recevrai	je reçus	je reçoive tu reçoives il recoive	nous recevions vous receviez ils reçoivent
RÉDUIRE (*to reduce*)	*like* conduire							
REJOINDRE (*to join together again*)	*like* joindre							
RIRE (*to laugh*)	riant ri	ris rions riez	je ris tu ris il rit	nous rions vous riez ils rient	je rirai	je ris	je rie tu ries il rie	nous riions vous riiez ils rient
ROMPRE (*to break*)	rompant rompu	romps rompons rompez	je romps tu romps il rompt	nous rompons vous rompez ils rompent	je romprai	je rompis	je rompe	nous rompions
SAVOIR (*to know, to know how to*)	sachant su	sache sachons sachez	je sais tu sais il sait	nous savons vous savez ils savent	je saurai	je sus	je sache	nous sachions
SENTIR (*to feel, smell*)	*like* dormir							
SERVIR (*to serve*)	*like* dormir							
SORTIR (*to go out, to get out*)	*like* dormir							
SOUFFRIR (*to suffer*)	*like* ouvrir							
SOURIRE (*to smile*)	*like* rire							
SE SOUVENIR (*to remember*)	*like* venir							
SUIVRE (*to follow*)	suivant suivi	suis suivons suivez	je suis tu suis il suit	nous suivons vous suivez ils suivent	je suivrai	je suivis	je suive	nous suivions
SURPRENDRE (*to surprise*)	*like* prendre							
SE TAIRE (*to be silent*)	se taisant tu	tais-toi taisons-nous taisez-vous	je me tais tu te tais il se tait	nous nous taisons vous vous taisez ils se taisent	je me tairai	je me tus	je me taise	nous nous taisions
TENIR (*to hold*)	tenant tenu	tiens tenons tenez	je tiens tu tiens il tient	nous tenons vous tenez ils tiennent	je tiendrai	je tins nous tînmes tu tins vous tîntes il tint ils tinrent	je tienne tu tiennes il tienne	nous tenions vous teniez ils tiennent
VAINCRE (*to conquer*)	vainquant vaincu	vaincs vainquons vainquez	je vaincs tu vaincs il vainc	nous vainquons vous vainquez ils vainquent	je vaincrai	je vainquis	je vainque	nous vainquions
VALOIR (*to be worth*)	valant valu	vaux valons valez	je vaux tu vaux il vaut	nous valons vous valez ils valent	je vaudrai	je valus	je vaille tu vailles il vaille	nous valions vous valiez ils vaillent
VENIR (*to come*)	venant venu	viens venons venez	je viens tu viens il vient	nous venons vous venez ils viennent	je viendrai	je vins nous vînmes tu vins vous vîntes il vint ils vinrent	je vienne tu viennes il vienne	nous venions vous veniez ils viennent
VIVRE (*to live*)	vivant vécu	vis vivons vivez	je vis tu vis il vit	nous vivons vous vivez ils vivent	je vivrai	je vécus	je vive	nous vivions
VOIR (*to see*)	voyant vu	vois voyons voyez	je vois tu vois il voit	nous voyons vous voyez ils voient	je verrai	je vis	je voie tu voies il voie	nous voyions vous voyiez ils voient
VOULOIR (*to wish, want*)	voulant voulu	veuille veuillons veuillez	je veux tu veux il veut	nous voulons vous voulez ils veulent	je voudrai	je voulus	je veuille tu veuilles il veuille	nous voulions vous vouliez ils veuillent

ENGLISH - FRENCH VOCABULARY

able: to be —— to *pouvoir*
about (roughly) *environ*; **to be —— to** *être sur le point de*; **to talk ——** *parler de*
absent *absent*
accent *un accent*
accident *un accident*
actor *un acteur*
after *après*; **—— all** *après tout*; **—— that** *après cela*
afternoon *un après-midi*
again *encore une fois*
against *contre*
age *l'âge* (m.)
ago *il y a*; **a year ——** *il y a un an*
aid: with the —— of, *à l'aide de*
all *tout, toute, etc*
already *déjà*
always *toujours*
and then *et puis*
to **answer** *répondre*
anything *ne . . . rien*
arm *le bras*
to **arrive** *arriver*
as *comme*; **—— soon ——** *dès que*
to **ask** *demander*; **—— s.o.** *demander à qqn;* **—— s.o. some questions** *poser des questions à qqn*; **—— s.o. to do sthg** *demander à qqn de faire qq. ch.*
at *à*; **——last** *enfin*; **—— least** *au moins*
avenue *une avenue*
away: a kilometre —— *à un kilomètre*

bakery *la boulangerie*
bang! *pan!*
bank *la banque*
to **beat** *battre*
beautiful *beau, bel, belle, etc*
because *parce que*
to **become** *devenir*
bedroom *la chambre (à coucher)*
to **be** *être*; **—— about to** *être sur le point de*; **—— born** *naître*; **—— cold** (weather) *faire froid*; **—— right** *avoir raison*; **—— sorry** *regretter*; **—— with** *accompagner*; **—— x years old** *avoir x ans*
before (doing sthg) *avant* (*de* + infinitive)
to **begin** (to) *commencer* (*à*)
behind *derrière*
big *grand*; **the —— shops** *les grands magasins*
black *noir*; **—— -haired** *aux cheveux noirs*
boat *le bateau*
book *le livre*; **exercise ——** *le cahier*
to be **born** *naître*
boss *le patron*
both *tous (toutes) les deux*
bottle *la bouteille*; **8 francs a ——** *8 francs la bouteille*
bottom: right at the —— of *tout au fond de*
box *la boîte*
braver and braver *de plus en plus brave*
breakfast *le petit déjeuner*
brigade: fire —— *les pompiers* (m.)
to **bring** *apporter*
burnt *brûlé*
bus *le bus*
to **buy** *acheter*
by *par*

cake *le gâteau*
cakeshop *la pâtisserie*
calm *calme*
can see *pouvoir*
car *la voiture, une auto*
centre *le centre*
certain *certain*
chap: poor —— *le pauvre type*
to **chat** *causer*
child *un enfant*
chimney *la cheminée*
chocolate: milk —— *le chocolat au lait*
Christmas: at —— *à Noël*
clever *habile*
to **climb** *faire l'ascension de*
cloakroom *le vestiaire*
club *le club*
coast *la côte*
cognac *le cognac*
cold: it's —— (weather), *il fait froid*
cool *frais (fraîche)*
to **come** *venir*; **—— down** *descendre*; **—— from** *venir de*; **—— in, into** *entrer (dans)*; **—— out (of)** *sortir (de)*
could see *pouvoir*
country: into the —— *dans la campagne*
covered with *couvert de*
croissant *le croissant*
crowd *la foule*
cup (football) *la coupe*
curtain *le rideau (-x)*
customs officer *le douanier*

Dad *papa*
to **dare** *oser*
darling *chéri(e)*
day *le jour*; **the —— when** *le jour où*
dear *cher* (in front of noun)
to **declare** *déclarer*
to **decide** (to) *décider (de)*
delicious *délicieux (-se)*
desk (adult's) *le bureau*
to **die** *mourir*
difficult *difficile*
difficulty: with great —— *avec grande difficulté*
dining room *la salle à manger*
to **disappear** *disparaître*
to **discover** *découvrir*
to **do** *faire*
dog *le chien*
door *la porte*
down: to come —— *descendre*; **—— there** *là-bas*
to **draw** (curtains), *tirer*
drawer *le tiroir*
dream *le rêve*
to **drink** *boire*
to **drive** *conduire*
during *pendant*

early *tôt*
easy *facile*
easily *facilement*
to **eat** *manger*
either (= neither) *non plus*
empty *vide*
end: at the —— of *au bout de*; **—— to the holidays** *la fin de vacances*
evening: good —— *bonsoir*; **the following ——** *le lendemain soir*
everybody *tout le monde*
everyone *tout le monde*
evidently *évidemment*
exercise book *le cahier*
to **expect** *attendre*
eye *un œil (des yeux)*

face *le visage*
fairly *assez*
to **fall** *tomber*
family *la famille*
father *le père*
favourite *favori (-te)*
to **feel weak** *se sentir faible*
a **few** *quelques*
fifth-former *un élève de seconde*
film *le film*
final (football) *la finale*
finally *enfin*
to **find** *trouver*; **—— oneself** *se trouver*
fire *un incendie*; **—— brigade** *les pompiers* (m.)
first *premier (-ère)*; **—— -former** *un élève de sixième*; **on the —— floor** *au premier étage*
flat *un appartement*
floor: on the first —— *au premier étage*; **on the ground ——** *au rez-de-chaussée*
following: the —— evening *le lendemain soir*
foot: at the —— of *au pied de*
for *pour*; **for** (= during) *pendant*; **for** (= since) *depuis*
to **forget** *oublier*
forgotten *oublié*
former *ancien* (in front of noun)
franc *le franc*; **8 —— a bottle** *8 francs la bouteille*
France *la France*; **in ——** *en France*; **in the South of ——** *dans le Midi*
friend *un ami*
to **frighten s.o.** *faire peur à qqn*
from *de*
in **front of** *devant*
full of *plein de*

gentleman *le monsieur*
gents: ladies and —— *messieurs-dames*
German *allemand*
to **get into** *monter dans*
to **get up** *se lever*
to **give** (a present) *offrir*
glad to *content de*
to **go** *aller*; —— **back** *retourner*; —— **back upstairs** *remonter* (*l'escalier*); —— **to bed** *se coucher*; —— **on foot** *aller à pied*; —— **in, into** *entrer* (*dans*); —— **on doing sthg** *continuer à faire qq. ch.*; —— **out of** *sortir de*; —— **round** *faire le tour de*; —— **upstairs** *monter* (*l'escalier*); —— **for a walk** *faire une promenade*; —— **on one's way** *continuer son chemin*
goal *le but*
good *bon* (*-ne*); —— **evening** *bonsoir*
great: with —— difficulty *avec grande difficulté*
grey *gris*
ground: on the —— floor *au rez-de-chaussée*

had just imperfect of *venir* + *de* + infinitive
hair *les cheveux* (m.)
half *demi*; —— **an hour** *une demi-heure*; —— **-way** *à mi-chemin*
to **happen** *se passer*
happy to *content de*
to **hate** *détester*
to **have** *avoir*; —— **to** *devoir*; —— **sthg to do** *avoir qq. ch. à faire*; **to have just** present of *venir* + *de* + infinitive; —— **lunch** *déjeuner*
headmaster *le directeur, le proviseur*
to **hear** *entendre*
to **help** *aider*
to **hesitate** *hésiter*
to **hide** *cacher*
high *haut*
holidays *les vacances* (f.); **the summer ——** *les vacances d'été*
to **hope** *espérer*
horrible: how horrible! *quelle horreur!*
hot *chaud*
hour *une heure*; **half an ——** *une demi-heure*; **a quarter of an ——** *un quart d'heure*
house *la maison*
how *comment*; —— **horrible!** *quelle horreur!* —— **long?** *depuis quand?*; — **much?** *combien de?*
to **hurry to** *se dépêcher de*
husband *le mari*

if *si*
important *important*
in *dans, en*; —— **France** *en France*; —— *1968*, *en 1968*; —— **order to** *pour* + infinitive
injured *blessé*
into *dans*

job *un emploi*

key *la clé, la clef*
kilometre *un kilomètre*; **a —— away** *à un kilomètre*
kind: that's very —— of you *c'est très gentil de votre part*
knob *le bouton*
to **know s.o.** *connaitre qqn*
to **know sthg** *savoir qq. ch.*

ladies and gents *messieurs-dames*
large *grand*
last *dernier* (*-ère*); **at ——** *enfin*; **the —— time** *la dernière fois*
late *tard*; **to be ——** *être en retard*
later *plus tard*
to **laugh** *rire*
to **learn to** *apprendre à*
at least *au moins*
to **leave** *partir*; —— **for** *partir pour*; —— (a place) *quitter* (*un endroit*); —— **s.o.** *laisser qqn*
left *gauche*; **to turn ——** *tourner à gauche*
life *la vie*
lift *un ascenseur*
like *comme*
to **like** *aimer*
to **listen to** *écouter*
little *petit*
to **live** *vivre*; —— **in** *habiter*
to **lock** *fermer . . . à clé* (*clef*)
long *long* (*-ue*); **a —— time** *longtemps*; **how long?** *depuis quand?*
longer: no —— *ne . . . plus*
to **look at** *regarder*
to **look ill** *avoir l'air malade*
to **lose** *perdre*
lovely *beau, bel, belle, etc*
luck: to have any —— *avoir de la chance*
lunch: to have —— *déjeuner*

main *principal*
to **make** *faire*
man *un homme*
managed to see *pouvoir*
market *le marché*
match *le match*
to **mean** *vouloir dire*
to **meet** *rencontrer*
middle: in the —— *au milieu*; **in the —— of** *au milieu de*
milk: —— chocolate *le chocolat au lait*
minute *la minute*
to **miss** *regretter*
more: a few moments —— *quelques moments encore*; **twice ——** *deux fois encore*; **more than** (+ a numeral) *plus de*; **no ——** *ne . . . plus*
morning *le matin*; **next——** *le lendemain matin*
mountain *la montagne*
to **move** *bouger*; —— **away from** *s'éloigner de*
much *beaucoup de*
Mum *maman*
music *la musique*; —— **room** *la salle de musique*
must have see *devoir*

near *près de*; **quite——** *tout près de*
to **need** *avoir besoin de*
never *ne . . . jamais*
new *nouveau, nouvel, nouvelle, etc*
next (adj.) *prochain*; **the ——** (one) *le prochain*; **the —— day** *le lendemain*; **the —— morning** *le lendemain matin*; —— **year** *l'année prochaine*
next (= subsequently) *ensuite*; ——**to** *à côté de*
no: —— longer *ne . . . plus*; —— **more** *ne . . . plus*
nobody *personne*
noise *le bruit*
Normandy *la Normandie*; **in ——** *en Normandie*
north *nord*
nothing *ne . . . rien, rien ne . . .*
to **notice** *remarquer*
now *maintenant*

office *le bureau*
officer: customs —— *le douanier*
old *vieux, vieil, vieille, etc*
on *sur*; —— **arriving** *en arrivant*; —— **the way** *en route*; **straight ——!** *tout droit!*
once again *encore une fois*
one: the —— that *celui qui* (*que*), *celle qui* (*que*)
only *seulement*
open *ouvert*
to **open** *ouvrir*
opposite *le contraire*
or *ou*
order: in —— to *pour* + infinitive
ought see *devoir*
ought to have see *devoir*
oven *le four*
own *propre* (in front of noun)

to **pack** *faire ses bagages*
parents *les parents* (m.)
to **pass** *passer*; —— **through** *passer par*
Parisian *parisien*
to **persuade** s.o. to do sthg *persuader qqn de faire qq. ch.*
to **pick up** *ramasser*
pipe *le tuyau* (*-x*)
pity: to be a —— *être dommage*
place: to take —— *avoir lieu*
plastic *en plastique*
to **play** *jouer*
pocket *la poche*

policeman *un agent de police*
politely *poliment*
poor *pauvre*
primary school teacher *un instituteur*
to **promise to** *promettre de*
proprietor *le propriétaire*
Provence *la Provence*; **in** —— *en Provence*
Provençal *provençal (-aux)*
pure *pur*

quarter of an hour *un quart d'heure*
questions: to ask somebody —— *poser des questions à qqn*
quiet *calme, tranquille*
quite near *tout près de*

to **reach** *arriver à*
real *vrai*
red *rouge*
to **refuse to** *refuser de*
region *la région*
reply *la réponse*
to **reply** *répondre*
to **rest** *se reposer*
restaurant *le restaurant*
to **retire** *prendre sa retraite*
right *droit*; —— **at the bottom of** *tout au fond de*; **to be** —— *avoir raison*; **to turn** —— *tourner à droite*
to **ring** *sonner*
to **rob** *voler*
robbery *le vol*
roof *le toit*
room: bedroom *la chambre (à coucher)*; **classroom** *la salle de classe*; **dining room** *la salle à manger*
round *rond*; **to go** —— *faire le tour de*
rucksack *le sac de montagne*

salesman *le vendeur*
same *même* (in front of noun)
saved *sauvé*
screen *un écran*
second *second*
secretary *une secrétaire*
to **see** *voir*
to **sell** *vendre*
to **send** *envoyer*
seriously *sérieusement*
to **serve** *servir*
to **set out again** *repartir*
several *plusieurs*
shirt *la chemise*
shop *le magasin, la boutique*; **the big** ——**s** *les grands magasins*
to **shout** *crier*
to **shut** *fermer*
side *le côté*
sir *Monsieur*
to **sit down** *s'asseoir*
to **sleep** *dormir*
slope *la pente*
slowly *lentement*
small *petit*
smile *le sourire*
to **smile** *sourire*
smoke *la fumée*
so: so (big, etc) *si*; **so** (= therefore) *donc*
something *quelque chose*
soon *bientôt*; **as** —— **as** *dès que*
sorry: to be —— **to** *regretter de*
South of France *le Midi*
to **speak** *parler*
speed *la vitesse*
to **spend** (time) *passer*; —— **one's time doing sthg** *passer son temps à faire qq. ch.*
square *la place*
stairs *un escalier*
to **start to** *commencer à*

to **stay in** (a place) *faire un séjour dans (un endroit)*
steep *raide*
stone *la pierre*
stop *un arrêt*
to **stop** *s'arrêter*; —— **doing sthg** *cesser de faire qq. ch.*
story *une histoire*
straight on! *tout droit!*
strange *curieux*
street *la rue*
study *le bureau*
suburbs *la banlieue*
sub-titles *les sous-titres* (m.)
to **succeed** *réussir*
suddenly *tout à coup*
suitcase *la valise*
summer *l'été* (m.); **the** —— **holidays** *les vacances d'été*
to **suppose** *supposer*
sure *sûr*

table *la table*
to **take**: —— (away) *emporter*; —— **out** *sortir* (with *avoir*); —— **place** *avoir lieu*; —— **x minutes to do sthg** *mettre x minutes à faire qq. ch.*
to **talk** *parler*; —— **about** *parler de*
tall *grand*
tap *le robinet*
to **teach s.o. to do sthg** *apprendre à qqn à faire qq. ch.*
teacher: secondary school —— *le professeur*; **primary school** —— *un instituteur*
team *une équipe*
telephone *le téléphone*
to **telephone to** *téléphoner à*
television *la télévision*
to **tell s.o.** *dire à qqn*; —— **s.o. to do sthg** *dire à qqn de faire qq. ch.*; —— **oneself** *se dire*; —— **a story** *raconter une histoire*
terrible *terrible*
thank you *merci*
theatre *le théâtre*
then: and —— *et puis*
there: down —— *là-bas*
thin *mince*
to **think** *penser*; —— **about** *penser à*
through *par*
Thursday *jeudi* (m.); **on** —— *jeudi*
time *le temps*; **a long** —— *longtemps*; **at what** ——? *à quelle heure?*; **this** —— *cette fois*; **the last** —— *la dernière fois*; **three** ——**s more** *trois fois encore*; **to spend one's** —— **doing sthg** *passer son temps à faire qq. ch.*
tomorrow *demain*
too (= also) *aussi*
tooth *la dent*
top: at the —— **of** *en haut de*
town *la ville*
train *le train*
transistor: on the —— *au transistor*
to **try to** *essayer de*
Tuesday *mardi* (m.); **on** ——**s** *le mardi*
to **turn** *tourner*; —— **left** *tourner à gauche*; —— **right** *tourner à droite*

under *sous*
to **understand** *comprendre*

very *très*
villa *la villa*
village *le village*
vineyard *le vignoble*
visitor *le visiteur*
voice *la voix*

to **wait** *attendre*
walk: to go for a —— *faire une promenade*
to **walk** *marcher*
to **want** *vouloir*
to **watch** *regarder*
water *l'eau* (f.)
way: on the —— *en route*
weak *faible*
weather *le temps*
week *la semaine*
to **weep** *pleurer*
well *bien*
what *ce qui, ce que*
what? *qu'est-ce qui, qu'est-ce que?*
what a . . .! *quel, quelle, etc*
when *quand*
where *où*
whistle *le sifflet*
to **whistle** *donner un coup de sifflet*
white *blanc (-he)*
why *pourquoi*
wife *la femme*
to **win** *gagner*
wine *le vin*
with *avec*; —— **great difficulty** *avec grande difficulté*; —— **the aid of** *à l'aide de*; **covered** —— *couvert de*
without *sans*
wooden *en bois*
wood *le bois*

year *une année*; **next** —— *l'année prochaine*
yesterday *hier*
young *jeune*

FRENCH - ENGLISH VOCABULARY

à part *besides, apart from*
une **abeille** *bee*
un **accès de colère** *fit of anger*
un **accident** *accident*
accompagner *to accompany*
accroché à *hanging on, hooked on*
accrocher *to catch, hook*
un **accueil** *welcome*
accueillir *to welcome, greet*
acheter *to buy*
achever *to finish off*
l'**acier inoxydable** (m.) *stainless steel*
un **acteur** *actor*
actionner *to operate*
admirer *to admire*
une **adresse** *address*
adroit *skilful*
un **adversaire** *opponent*
une **affaire** *matter, business*
afin de *in order to*
l'**âge** (m.) *age*
âgé *aged*
un **agent de police** *policeman*
il **s'agit de** *it is a question of*
agiter *to wave*
agréable *pleasant*
agricole *agricultural*
l'**agriculture** (f.) *agriculture*
aider *to help*
une **aiguille** *needle*
une **aile** *wing*
d'**ailleurs** *moreover*
aimer *to love, like*
aîné *elder*
ainsi *thus*
ajouter *to add*
un **aliment** *food*
l'**alimentation** *food (in general)*
l'**Allemagne** (f.) *Germany*
l'**allemand** *German language*
un **Allemand** *a German*
aller *to go*; **s'en ——** *to go away*
allonger *to stretch out*
allumer *to light*
alors *then*
une **ambulance** *ambulance*
une **âme** *soul*
amener *to bring (a person)*
américain *American*
un **ami**, une **amie** *friend*
l'**amour** (m.) *love*
amusant *funny*
s'amuser *to enjoy oneself*
un **an** *year*
ancien (-ne) *former, ancient*
un **âne** *donkey*
un **ange** *angel*
un **Anglais** *Englishman*
l'**Angleterre** (f.) *England*
un **animal (-aux)** *animal*
une **année** *year*
un **anniversaire** *birthday*
annoncer *to announce*
un **annuaire** *directory*
anxieux (-euse) *anxious*
août (m.) *August*
apercevoir *to notice*
apparaître *to appear*
un **appareil** *apparatus, camera*
un **appartement** *flat*
s'appeler *to be called*
l'**appétit** (m.) *appetite*
apporter *to bring*
apprendre *to learn*
s'approcher *to approach*
s'appuyer *to lean*
appuyer sur *to press on*
après *after, afterwards*
après-demain *the day after tomorrow*
un **après-midi** *afternoon*; **de l' ——** *p.m. (until 5 p.m.)*
un **arbre** *tree*
l'**argent** (m.) *silver, money*
une **armée** *army*; **l'Armée du Salut** *Salvation Army*
une **armoire** *cupboard, wardrobe*
arracher *to snatch*
arranger *to arrange*
s'arrêter *to stop*
arrière *back, behind*, **en ——** *backwards*
l'**arrivée** (f.) *finish*
arriver *to arrive*
un **arrondissement** *district of Paris*
l'**art** (m.) *art*
articuler *to pronounce*
un **artiste** *artist*
un **aspirateur** *vacuum cleaner*
l'**aspirine** (f.) *aspirin*
s'asseoir *to sit down*
assez *fairly*
une **assiette** *plate*
assis *seated, sitting*
s'assoupir *to doze off*
assurer que *to make sure that*
un **atelier** *workshop*
un **athlète** *athlete*
attacher *to attach*
s'attarder *to delay, linger*
atteindre *to reach*
attendre *to wait for*
une **attente** *waiting, expectation*
attention: faire —— *to pay attention*
attention! *look out!*
un **atterrissage** *landing (of plane)*
attirer *to attract*
attraper *to catch*
une **auberge** *inn*
au-dessus de *above*
aujourd'hui *today*
auparavant *earlier*
aussi *also*
aussitôt *at once*
une **auto** *car*
un **autobus** *'bus*
l'**automne** (m.) *autumn*
autour de *around*
autre *other*
autrefois *formerly, in days gone by*
avaler *to swallow*
avancer *to be fast (of watch)*; **s'——** *to advance*
avant de *before (doing something)*
avec *with*
l'**avenir** (m.) *future*
une **averse** *shower*
aveugle *blind*
un **aviateur** *pilot*
un **avion** *plane*
un **avocat** *barrister*
avoir *to have*; **—— l'air de** *to look like*; **—— x ans** *to be x years old*; **—— faim** *to be hungry*; **—— froid** *to be cold*; **—— l'œil sur** *to keep an eye on*; **—— mal à** *to have a pain in*; **—— peur** *to be afraid*; **—— raison** *to be right*; **—— soif** *to be thirsty*; **—— soin de** *to take care of*; **—— sommeil** *to be drowsy*; **—— tort** *to be wrong*
avril (m.) *April*

la **baguette** *long thin loaf*
se **baigner** *to bathe*
le **baigneur** *bather*
la **baignoire** *bath-tub*
le **bain: prendre un ——** *to have a bath*
baisser *to lower*
le **bal** *dance, ball*
le **balai** *broom*
la **balançoire** *swing*
balayer *to sweep*
le **balcon** *balcony*
la **balle** *ball*
le **ballon** *ball, balloon*
la **banane** *banana*
le **banc** *bench*
la **banque** *bank*
la **banquette** *seat (in car)*
la **barbe** *beard*
bas (-sse) *low*
le **bas** *stocking*
à **bas . . .** *down with . . .*
en **bas** *downstairs*
la **bascule** *weighing-scales*
le **basket-ball** *basketball*
la **basse-cour** *farmyard*
le **bassin** *garden pond, pool*
le **bateau (-x)** *boat*
le **bâtiment** *building*
le **bâton** *stick*
la **batterie électrique** *battery*
battre *to beat*; **se ——** *to fight*
beau, bel, belle *beautiful, handsome*
beaucoup de *a lot of*
le **bébé** *baby*
le **bec** *beak*
le **Belge** *Belgian*
la **Belgique** *Belgium*
besoin: avoir —— de *to need*
la **bête** *animal, beast*
le **beurre** *butter*
la **bibliothèque** *book-case, library*
la **bicyclette** *bicycle*
bien *well*
bien entendu *of course*
bientôt *soon*
la **bienvenue** *welcome*; **sois (soyez) le (la, les) bienvenu(e)(s)** *welcome*
la **bière** *beer*
le **billet** *ticket*
blanc (-che) *white*
blanchâtre *whitish*
le **blé** *corn*
blesser *to injure*; **le blessé** *injured person*

blond *fair-haired*
la **blouse** *overall*
le **bœuf** *ox, beef*
boire *to drink*
le **bois** *wood*
la **boîte** *tin, box*
la **boîte aux lettres** *letter box*
le **bol** *bowl*
bon (-nne) *good*
le **bonbon** *sweet*
bondé *crowded, jammed*
le **bord** *edge*
border *to border*
la **bosse** *hump*
la **bouche** *mouth*
boucher *to block up*
le **boucher** *butcher*
la **boucherie** *butcher's*
le **boudin** *black pudding*
bouger *to move*
la **bougie** *candle*
bouillant *boiling*
la **bouilloire** *kettle*
le **boulanger** *baker*
la **boulangerie** *bakery*
le **bouquet** *clump (of trees)*
le **bout** *end*
la **bouteille** *bottle*
la **boutique** *shop*
le **bouton** *button*
la **boxe** *boxing*
le **braconnier** *poacher*
la **branche** *branch*
le **bras** *arm*
bref (-ève) *short, brief*
le **bricolage** *handicraft, doing jobs about the house* etc.
briller *to shine*
la **brique** *brick*
briser *to break*
la **brosse** *brush*
la **brouette** *wheelbarrow*
le **brouillard** *fog*
le **bruit** *noise*
brûler *to burn*
la **brume** *mist*
brumeux (-euse) *misty*
brun *brown*
brusquement *suddenly*
le **buffet** *sideboard*
le **buisson** *bush*
buissonnière: faire l'école —— *to play truant*
le **bulletin trimestriel** *termly report*
le **bureau (-x)** *desk*
la **buvette** *light refreshment bar*

ça *that*; **—— alors!** *just think of that*; **—— va** *O.K.*; **—— y est!** *that's it, there we are*
le **cabinet** *study*
cacher *to hide*
la **cachette** *hiding-place*
le **cadavre** *corpse*
le **cadet** *younger*
le **cadran** *dial (on clock)*
le **café** *coffee*
le **café-tabac** *café where tobacco and cigarettes are sold*
le **cahier** *exercise-book*
le **caissier** *cashier*
le/la **camarade** *friend*
le **camion** *lorry*
la **campagne** *countryside*
le **campeur** *camper*
le **camping** *camping, camping-site*
le **Canada** *Canada*
le **canard** *duck*
la **canne** *walking-stick*
la **canne à pêche** *fishing rod*
le **canot** *rowing boat*
le **canotage** *boating*
le **caoutchouc** *rubber*
la **capitale** *capital*
le **car** *motorcoach*
car *for*
la **caravane** *caravan*
le **carré** *square*
le **carrefour** *crossroads*
la **carte** *map*; **la —— postale** *postcard*
le **cas** *case*; **en —— d'accident** *in the event of an accident*
la **cascade** *waterfall*
le **casque** *helmet*
casser *to break*
la **casserole** *saucepan*
le **cauchemar** *nightmare*
la **cause** *cause*; **à —— de** *because of*
la **cave** *cellar*
la **ceinture** *belt*; **la —— de sauvetage** *lifebelt*; **la —— de sécurité** *safety-belt*
célèbre *famous*
le **cendrier** *ash-tray*
une **centaine de** *hundred of*
le **centre** *centre*
cependant *however*
certainement *certainly*
le **cerveau (-x)** *brain*
cesser de *to stop doing something*
c'est-à-dire *that's to say*
chacun *everyone, each one*
la **chaise** *chair*
la **chaleur** *heat*
la **chambre (à coucher)** *bedroom*
le **chameau (-x)** *camel*
le **champ** *field*
le **champagne** *champagne wine*
la **chance** *luck*
changer *to change*
le **chant** *song*
chanter *to sing*
le **chapeau (-x)** *hat*
le **charbon** *coal*
la **charcuterie** *pork-butcher's shop, sausages, etc*
charger *to load*
le **chariot** *waggon, trolley*
la **charrue** *plough*
chasser *to drive away*
le **chasseur** *hunter*
le **chat** *cat*
le **château (-x)** *castle, stately home*; **le —— de sable** *sandcastle*
chaud *hot*
le **chauffage central** *central heating*
chauffer *to heat*
le **chauffeur** *driver*
chaussé *wearing shoes*
la **chaussette** *sock*
la **chaussure** *shoe*
le **chef** *chief, boss*; **le —— de gare** *station-master*; **le —— de train** *guard*
le **chemin** *path*; **le —— de fer** *railway*
la **cheminée** *chimney*
la **chemise** *shirt*
la **chemisette** *short-sleeved blouse*
le **chêne** *oak*
le **chèque** *cheque*
cher (-ère) *dear*; **peu ——** *inexpensive*
chercher *to look for*
le **cheval (-aux)** *horse*
le **cheveu (-eux)** *hair*
la **chèvre** *goat*
chez *at the house of*
le **chien** *dog*
le **chiffon** *rag, duster*
le **chiffre** *figure, number*
la **Chine** *China*
chinois *Chinese*
le **chocolat** *chocolate*
choisir *to choose*
la **chose** *thing*
le **chou (-x)** *cabbage*
le **ciel** *sky*
la **cigarette** *cigarette*
le **cimetière** *cemetery*
le **cinéma** *cinema*
le **cirage** *polish*
ciré *wax polished*
les **ciseaux** (m.) *scissors*
le **citron** *lemon*
le **citronnier** *lemon-tree*
clair *light*
la **clarté** *brightness*
la **classe** *class, classroom*
la **clef** *key*
le **client** *customer*
la **cloche** *bell*
le **clou** *nail*
le **cochon** *pig*
le **cœur** *heart*
le **coffre** *boot (of car)*
coiffé *wearing a hat*
le **coin** *corner*
la **colère** *anger*; **en ——** *angry*
le **colis postal (-aux)** *packet, parcel*
coller *to glue, stick*
la **collerette** *small collar*
la **colline** *small hill*
combien de . . ? *how many?*
commander *to order*
comme *as, like*
commencer à *to begin to*
comment *how*
le **commerçant** *merchant*
commode *useful, handy*
la **commode** *chest of drawers*
le **compartiment** *compartment*
compatissant *sympathetic*
comprendre *to understand*
le **comprimé d'aspirine** *aspirin tablet*
le **compte à rebours** *countdown*
compter *to count*
le **comptoir** *counter*
concevoir *to conceive, plan*
le/la **concierge** *porter*
se **conduire** *to behave oneself*
conduire *to drive, lead*
la **conduite** *conduct*
la **confiance** *confidence*
la **confiserie** *sweet-shop*
la **confiture** *jam*
confortable *comfortable*
le **congé** *holiday, day off*
connaître *to know (people or places)*
la **conscience** *consciousness*
conscient de *conscious of*

le **conseil** *piece of advice*
conseiller *to advise*
la **consigne** *left-luggage office*
la **consommation** *consumption*
construire *to construct*
consulter *to consult*
le **conte de fées** *fairy story*
contenir *to contain*
content *pleased, happy*
le **continent** *continent*
continuer de *to continue to*
contre *against*
le **contrôleur** *ticket inspector*
copier *to copy*
le **coq** *cock*
le **coquillage** *sea-shell*
la **corbeille** *basket*
la **corde** *rope*
le **cordon** *cord*
le **cordonnier** *shoe-repairer*
la **corne** *horn*
la **cornemuse** *bagpipes*
le **corps** *body*
la **corvée** *chore*
le **costume** *suit*
la **côte** *coast, hill*
à **côté de** *beside*
le **coton** *cotton*
le **cou** *neck*
couché *in bed*
se **coucher** *to go to bed*
coudre *to sew*
couler *to flow*
la **couleur** *colour*
le **coup** *blow*; **le —— de fusil** *rifle shot*; **le —— d'œil** *glance*; **le —— de poing** *punch*; **le —— de tonnerre** *thunder-clap*
couper *to cut*
la **cour** *courtyard*
le **courage** *courage*
le **coureur** *runner*; **le —— cycliste** *racing cyclist*
courir *to run*
la **couronne** *crown*
couronner *to crown*
le **courrier** *mail*
la **course** *race*; **la —— de taureaux** *bullfight*
court *short*
le **couteau (-x)** *knife*
le **couvercle** *lid*
le **couvert** *place-setting*; **mettre le ——** *to lay the table*
couvert de *covered with*
la **couverture** *cover, bedspread*
couvrir *to cover*
cracher *to spit*
la **craie** *chalk*
craindre *to fear*
la **cravate** *tie*
le **crayon** *pencil*
la **crème** *cream*
la **crémerie** *dairy*
le **crémier** *dairyman*
creuser *to dig*
crevé *burst*
crier *to shout*
croire *to believe, think*
croiser *to cross, fold (arms)*
cru *raw*
cueillir *to collect, gather*
la **cuiller** *spoon*
le **cuir** *leather*
cuire *to cook*
la **cuisine** *cooking*; *kitchen*
la **cuisinière** *cooker*; *cook*
la **culotte** *short trousers*
le **cultivateur** *farmer*
cultiver *to cultivate*
curieux (-euse) *curious, strange*
la **cuvette** *bowl, basin*

d'abord *first of all*
la **dalle** *paving-stone*
la **dame** *lady*
le **danger** *danger*
dangereux (-euse) *dangerous*
dans *in, into*
danser *to dance*
dater de *to date from*
debout *standing*
débrancher *to unplug*
se **débrouiller** *to manage*
le **début** *beginning*
décembre (m.) *December*
décharger *to unload*
déchirer *to tear*
décider de *to decide to*
décoller *to take off (plane)*; *unstick*
le **décor** *background, scenery*
décorer *to decorate*
décrire *to describe*
la **découverte** *discovery*
découvrir *to discover*
décroiser *to uncross*
défendre *to defend, forbid*
dehors *outside*
déjà *already*
le **déjeuner** *lunch*; **le petit ——** *breakfast*
au **delà de** *beyond*
délicieux (-euse) *delicious*
demander *to ask for*; **se ——** *to wonder*
demi *half*
démolir *to demolish*
la **dent** *tooth*
le **dentifrice** *toothpaste*
le **dentiste** *dentist*
le **départ** *departure*
le **département** *department, administrative area of France*
se **dépêcher** *to hurry*
dépenser *to spend*
déposer *to put down*
depuis *since*
déranger *to disturb*
derrière *behind*
dès que *as soon as*
descendre *to go down, to carry down*
se **déshabiller** *to undress*
le **dessert** *sweet*
desservir *to serve (transport)*
le **dessin** *drawing*
dessiner *to draw, design*
le **destinataire** *recipient (of letter)*
détester *to hate*
devant *in front of*
devenir *to become*
deviner *to guess*
devoir *to owe, to have to*
en **diagonale** *diagonally*
difficile *difficult, faddy*
la **difficulté** *difficulty*
dimanche (m.) *Sunday*
diminuer *to grow less, diminish*
la **dinde** *turkey*
le **dîner** *dinner*
dîner *to have dinner*
dire *to say*
le **directeur** *director*; *headmaster*
la **direction** *direction*
se **diriger vers** *to go towards*
discuter *to discuss*
la **distance** *distance*
le **dispensaire** *hospital clinic*
le **disque** *record*
distribuer *to give out, distribute, deliver (mail)*
la **dizaine** *about ten*
le **doigt** *finger*
la **domestique** *maid*
donc *so, therefore*
donner *to give*
dont *whose, of which*
le **dormeur** *sleeper*
dormir *to sleep*
le **dortoir** *dormitory*
le **dos** *back*
doucement *gently, sweetly*
la **douche** *shower*
se **douter de** *to suspect*
doux (douce) *soft, gentle, lenient*
dramatique *dramatic*
le **drame** *drama*
le **drap** *sheet*
le **drapeau (-x)** *flag*
dresser *to put up, erect*
à **droite de** *to the right of*
drôle *funny*
dur *hard*
durer *to last*

l'**eau (-x)** (f.) *water*
les **échecs** (m.) *chess*
une **échelle** *ladder*
un **éclair** *flash of lightning*
éclaircir *to throw light on, solve*
éclairer *to enlighten, illuminate*
une **école** *school*
l'**Écosse** (f.) *Scotland*
écouter *to listen to*
écraser *to squash, crush, run over*
s'**écrier** *to exclaim*
écrire *to write*
une **écurie** *stable*
un **effort** *effort*
égal (-aux) *equal*
s'**égarer** *to lose one's way*
une **église** *church*
s'**élancer** *to rush*
électrique *electric*
un **éléphant** *elephant*
un/une **élève** *pupil*
s'**élever** *to rise*
un **embouteillage** *traffic jam*
embrasser *to embrace*
s'**émerveiller** *to marvel*
emmener *to lead away, to take*
empêcher *to prevent*
un **empereur** *emperor*
empiler *to pile up*
les **emplettes** (f.) *shopping*
un **emploi du temps** *timetable*
un **employé** *clerk, assistant*
employer *to employ, use*
emporter *to carry away*
ému *moved, excited*
encore *again*

un **encrier** *inkwell*
s'**endormir** *to fall asleep*
un **endroit** *place*
un/une **enfant** *child*
enfin *at last*
enfoncer *to pull down*
s'**engager** *to sign up*
un **engin** *device*
s'**engouffrer** *to surge into*
un **engourdissement** *stupor*
enlever *to take off*
un **ennemi** *enemy*
ennuyer *to annoy, bore, worry*
énorme *enormous*
enregistrer *to record*
enrouler *to roll up*
ensemble *together*
ensoleillé *sunny*
ensuite *then, next*
entendre *to hear*
enterrer *to bury*
entêté *stubborn*
entourer *to surround*
l'**entrain** (m.) *enthusiasm*
un **entraînement** *training*
entre *between*
entrebâillé *ajar, half-open*
une **entrée** *entrance*
entrer dans *to go into*
une **enveloppe** *envelope*
envelopper *to wrap up*
envie, avoir —— de *to want to*
envoyer *to send*
épais (-**sse**) *thick*
éparpillé *scattered*
une **épaule** *shoulder*
un **épicier** *grocer*
une **épingle** *pin*
éplucher *to peel*
une **éponge** *sponge*
épouvanter *to terrify*
éprouver *to experience*
une **équipe** *team*
l'**équipement** (m.) *equipment*
escalader *to climb over*
un **escalier** *staircase*

l'**espérance** (f.) *hope*
un **espoir** *hope*
essayer de *to try to*
l'**essence** (f.) *petrol*
un **espace** *space*
l'**Espagne** (f.) *Spain*
espérer *to hope for*
essentiel (-**lle**) *essential*
essoufflé *out of breath*
essuyer *to wipe*
l'**est** (m.) *East*
un **établissement** *establishment*
un **étage** *floor, story in house*
les **États-Unis** (m.) *U.S.A.*
l'**été** (m.) *summer*
éteindre *to put out, extinguish*
étendre *to stretch out*
une **étoile** *star*
étonnant *astonishing*
l'**étonnement** (m.) *astonishment*
étrange *strange*
l'**étranger** (m.) *stranger, foreigner*; **à l'——** *abroad*
étrangler *to strangle*
être *to be*
étroit *narrow*
une **étude** *study*
un **étudiant** *student*
étudier *to study*
s'**évanouir** *to faint*
éveiller *to waken*
un **événement** *event*
un **évier** *sink*
excellent *excellent*
excuser *to excuse*
par **exemple** *for example*
exiger *to demand*
un **expéditeur** *sender*
une **explication** *explanation*
expliquer *to explain*
exposer *to exhibit*
l'**extérieur** (m.) *outside*

en **face de** *opposite*
fâcheux (-**euse**) *annoying*
facile *easy*
la **façon** *way*
le **facteur** *postman*
faible *weak*
faim: avoir —— *to be hungry*
faire *to do, make*; **—— le plein d'essence** *to fill up with petrol*; **—— mal à** *to hurt*; **—— mieux de** *to do better to*; **——réparer qq. ch.** *to have something repaired*; **—— venir** *to send for*
falloir *to be necessary*
familial *of the family*
la **famille** *family*
la **farine** *flour*
la **fatigue** *tiredness*
fatigué *tired*
la **faute** *error, mistake*
le **fauteuil** *armchair*; **les ——s d'orchestre** *orchestra stalls*
favori (-**ite**) *favourite*
la **femme** *wife, woman*; **la —— de ménage** *charlady*
fendre *to split*
la **fenêtre** *window*
le **fer** *iron*
la **ferme** *farm*
fermer *to close*; **—— à clef** (**clé**) *to lock*
féroce *fierce*
la **fessée** *smacking, slap*
la **fête** *festival, holiday, feast, birthday*
fêter *to celebrate*
le **feu** *fire*; **les ——x** *traffic-lights*
le **feuillage** *foliage*
la **feuille** *leaf*
février (m.) *February*
la **ficelle** *string*
fier (-**ère**) *proud*
la **fièvre** *fever, temperature*
fiévreusement *feverishly*

la **figure** *face*
le **fil** *thread*
le **filet** *net, string bag; luggage rack*
la **fille** *daughter*; **la jeune ——** *girl*
la **fillette** *little girl*
le **film** *film*
le **fils** *son*
la **fin** *end*
finir *to finish*
le **flamand** *Flemish language*
la **flaque** *puddle*
la **flèche** *arrow*
la **fleur** *flower*
le **fleuve** *river*
flotter *to float*
le **foin** *hay*
la **fois** *time*; **à la——** *simultaneously*
foncé *dark* (*coloured*)
le **fond** *depth, bottom, back*
fondre *to melt*
le **football** *football*
la **force** *strength*
la **forêt** *forest*
le **forgeron** *blacksmith*
fort *strong, loud*; (*adverb*) *heavily*
la **fosse d'orchestre** *orchestra pit*
le **fossé** *ditch, moat*
fou (**fol, folle**) *mad*
le **foulard** *scarf*
la **foule** *crowd*
la **fourche** (*pitch*) *fork*
la **fourchette** (*eating*) *fork*
le **fourneau** (-**x**) *stove*
frais (**fraîche**) *fresh*
le **franc** *franc* (10 approx. = £1)
le **français** *French Language*
le **Français** *Frenchman*
frapper *to strike, hit*
le **frein** *brake*
le **frère** *brother*
franchir *to cross*
le **frigo** *fridge*
froid *cold*

le **fromage** *cheese*
le **front** *forehead*
la **frontière** *frontier*
frotter *to rub*
le **fruit** *fruit*
la **fumée** *smoke*
fumer *to smoke*
la **fusée** *rocket*
le **fusil** *rifle*

gagner *to win, earn*
gai *gay, cheerful*
le **gaillard** *lad*
la **galerie** *gallery*
le **galet** *pebble*
le **gant** *glove*
le **garage** *garage*
le **garagiste** *garage-owner*
le **garçon** *boy, waiter*
garder *to keep*
les gardes (f.): **être sur ses ——** *to be on one's guard*
la **gare** *railway-station*
gâté *spoilt, decayed* (*tooth*)
le **gâteau** (-**x**) *cake*
gauche *left*
le **gaz** *gas*
gêner *to embarrass, to get in the way*
le **genou** (-**x**) *knee*
les gens (m.) *people*
gentil (-**lle**) *nice, kind*
la **géographie** *geography*
le **geste** *gesture*
gifler *to slap*
la **girafe** *giraffe*
la **girouette** *weather vane*
la **glace** *ice, ice-cream; mirror, window*
glisser *to slip*
gonfler *to blow up, inflate*
le **goût** *taste*
la **goutte** *drop*
le **gouvernement** *government*
grâce à *thanks to*
la **graisse** *grease, fat*
grand *big*

grand-chose: pas —— *not much*
la **grand-mère** *grandmother*
le **grand-père** *grandfather*
la **Grande-Bretagne** *Great Britain*
les **grands-parents** *grandparents*
gras (-sse) *fat*
le **grattement** *scratching*
gratter *to scratch*
grec (grecque) *Greek*
la **Grèce** *Greece*
le **grenier** *attic*
la **grenouille** *frog*
la **grille** *fence, railing*
grimper *to climb*
gris *grey*
grommeler *to grumble*
gros (-sse) *fat*
grouillant *swarming (with people)*
le **groupe** *group*
la **guêpe** *wasp*
guérir *to cure*
la **guerre** *war*
guetter *to watch out for*
le **guichet** *booking-office*
guillotiner *to guillotine*

habile *clever*
s'habiller *to get dressed*
un **habit** *clothing*
un **habitant** *inhabitant*
habiter à *to live in*
d'habitude *usually*
une **habitude** *habit*
la **hache** *axe*
la **haie** *hedge*
hanté de *haunted by*
hausser les épaules *to shrug one's shoulders*
haut *high*; **en** —— *upstairs*
la **hauteur** *height*
une **hélice** *propeller*
un **hélicoptère** *helicopter*
l'**humeur** (f.) *mood*
l'**humidité** (f.) *dampness*
l'**herbe** (f.) *grass*
hésiter *to hesitate*
une **heure** *hour*
heureusement *fortunately*
heureux (-se) *happy, fortunate*
une **histoire** *story*
l'**hiver** (m.) *winter*
le **hockey** *hockey*
un **homme** *man*
un **hôpital** *hospital*
une **horloge** *public clock*
horrible *horrible*
un **hôtel** *hotel*
l'**huile** (f.) *oil*
humide *damp*
hurler *to howl*

une **idée** *idea*
une **île** *island*
une **image** *picture*
imiter *to imitate*
un **immeuble** *block of flats*
immobile *motionless*
impassible *impassive*
un **imperméable** *raincoat*
l'**importance** (f.) *importance*
important *important*
n'importe quoi *no matter what, any old thing*
impossible *impossible*
un **incendie** *fire*
inconnu *unknown*
l'**Inde** (f.) *India*
un **Indien** *Indian man*
une **industrie** *industry*
une **infirmière** *nurse*
un **ingénieur** *engineer*
innombrable *innumerable*
inoubliable *unforgettable*
inquiet (-ète) *anxious*
s'inquiéter de *to worry about*
l'**inquiétude** (f.) *worry*
un **insecte** *insect*
insensible *insensitive*
installer *to install*
s'intéresser à *to be interested in*
interrompre *to interrupt*
une **institutrice** *woman primary school teacher*
intelligent *intelligent*
l'**intérieur** (m.) *interior*
interplanétaire *interplanetary*
inutile *useless*
un **invité** *guest*
l'**Irak** (m.) *Iraq*
l'**Italie** (f.) *Italy*
l'**italien** (m.) *Italian language*
un **Italien** *an Italian*

jaloux (-se) *jealous*
jamais *ever*
la **jambe** *leg*
le **jambon** *ham*
janvier (m.) *January*
le **Japon** *Japan*
le **jardin** *garden*; **le** —— **potager** *vegetable garden*
le **jardinier** *gardener*
jaune *yellow*
la **jetée** *jetty*
jeter *to throw*
le **jeu (-x)** *game*
jeudi (m.) *Thursday*
jeune *young*
joli *pretty*
la **joue** *cheek*
jouer *to play*; —— **aux échecs** *to play chess*; —— **du piano** *to play the piano*
le **jouet** *plaything*
le **joueur** *player*
le **joujou (-x)** *toy*
le **jour** *day*; **de nos** ——**s** *nowadays*
le **journal** *newspaper*
le **juge** *judge*
juillet (m.) *July*
juin (m.) *June*
la **jupe** *skirt*
jusqu'à *until*
juste *just, precisely*

le **kilo** *kilogramme* (2 $\frac{1}{5}$ lb)
le **kilomètre** *kilometre* ($\frac{5}{8}$ *of a mile*)

labourer *to plough*
le **lac** *lake*
là-haut *up there*
laid *ugly*
la **laine** *wool*
laisser *to leave, let*; —— **tomber** *to drop*; —— **traîner** *to leave lying about*
le **lait** *milk*
la **lame** *blade*
la **lampe** *lamp*
lancer *to throw, launch*
la **langue** *tongue, language*
le **lapin** *rabbit*
large *broad*
le **lavabo** *washbasin*
laver *to wash*; **se** —— *to get washed*
la **leçon** *lesson*
léger (-ère) *light*
le **légume** *vegetable*
le **lendemain** *following day*
lentement *slowly*
la **lessive** *washing*
la **lettre** *letter*
lever *to raise*; **se** —— *to get up*; **se** —— **de table** *to leave the table*
la **lèvre** *lip*
la **liberté** *freedom*
la **librairie** *bookshop*
libre *free*
lier *to link up*
le **lieu (-x)** *place*; **au** —— **de** *instead of*
la **ligne d'arrivée** *finishing-line*
la **limonade** *lemonade*
le **linge** *linen*
le **lion** *lion*
le **lit** *bed*
le **litre** *litre*
la **livraison** *delivery*
le **livre** *book*
la **livre** *pound*
le **locataire** *tenant*
la **locomotive** *locomotive*
la **loge** *box (in theatre)*
la **loi** *law*
loin *far*; **au** —— *in the distance*
long (longue) *long*; **de** —— **en large** *up and down*
longtemps *a long time*
à la longue *at length, eventually*
la **loterie** *lottery*
louer *to book, hire*
le **loup** *wolf*
lourd *heavy*
la **lumière** *light*
lumineux (-se) *luminous*
lundi (m.) *Monday*
la **lune** *moon*
les **lunettes** (f.) *spectacles*
la **lutte** *struggle*
le **lycée** *secondary (grammar) school*

la **machine** *machine*; **la** —— **à laver** *washing-machine*
la **mâchoire** *jaw*
le **maçon en briques** *bricklayer*
le **magasin** *large store*; *storeroom*
le **magnétophone** *tape recorder*
magnifique *magnificent*
mai (m.) *May*
maigre *thin*

le **maillot de bain** *swimming costume*
la **main** *hand*
maintenant *now*
le **maire** *mayor*
la **mairie** *town hall*
mais *but*
la **maison** *house*
le **maître** *master*; **le —— d'hôtel** *head waiter*
mal *badly*; **avoir —— à** *to have a pain in*; **faire —— à** *to hurt*; **le mal (les maux) de tête** *headache*
malade *ill*; **le ——** *sick person*
maladroit *clumsy*
malgré *in spite of*
malheureux (-se) *unfortunate*
le **manche** *handle*
la **manche** *sleeve*
la **Manche** *Channel*
le **mandat** *postal order*
manger *to eat*
manquer *to miss*
le **manteau (-x)** *coat*
le **marathon** *marathon*
le **marchand** *merchant, seller*
la **marche** *step*
le **marché** *market*
marcher *to walk, to work (of machines etc)*
mardi (m.) *Tuesday*
la **mare** *pond*
le **mari** *husband*
se **marier** *to get married*
la **marmite** *cooking-pot*
mars (m.) *March*
le **marteau (-x)** *hammer*
le **mât** *mast, flagpole*
le **matelas** *mattress*
les **mathématiques** (f.) *maths*
la **matière** *matter, subject*
le **matin** *morning*; **du ——** *a.m.*
mauvais *bad*

le **mécanicien** *mechanic, engine-driver*
le **médecin** *doctor*
le **médicament** *medicine*
la **menace** *threat*
le **ménage** *household*
la **ménagère** *housewife*
le **mendiant** *beggar*
le **menuisier** *joiner*
la **mer** *sea*
merci *thank you*
mercredi (m.) *Wednesday*
la **mère** *mother*
merveilleux (-se) *marvellous*
la **mesure** *measure*
mesurer *to measure*
le **métal** *metal*
le **métier** *trade*
le **mètre** *metre*
le **métro** *Underground*
mettre *to put*
le **meuble** *furniture*
midi (m.) *midday*
mieux *better*; **faire de son ——** *to do one's best*
au **milieu de** *in the middle of*
mille *thousand*
des **milliers de** (m.) *thousands of*
le **million** *million*
mince *thin*
minuit (m.) *midnight*
la **minute** *minute*
le **miroir** *mirror*
la **mode** *fashion*: **à la ——** *in fashion*
moderne *modern*
le **moindre** *least, slightest*
moins *less, minus*
le **mois** *month*
la **moisson** *harvest*
la **moitié** *half*
le **monde** *world*
mondial *world-wide*
la **monnaie** *change*
le **monorail** *monorail*
le **monsieur** *gentleman*

la **montagne** *mountain*
monter *to go up*
la **montre** *watch*; **le —— -bracelet** *wrist-watch*
montrer *to show*
se **moquer de** *to make fun of*
le **morceau (-x)** *bit*
mordre *to bite*
la **mort** *death*
le **mot** *word*
le **moteur** *engine*
la **moto** *motorbike*
mou (mol, molle) *soft*
la **mouche** *fly*
le **mouchoir** *handkerchief*
mouiller *to wet*
mourir *to die*
le **moustique** *gnat, mosquito*
le **mouton** *sheep, mutton*
le **mouvement** *movement*
le **moyen** *means*
le **Moyen-Orient** *Middle East*
muet (-tte) *dumb*
muni de *equipped with*
le **mur** *wail*
mûr *ripe, mature*
le **murmure** *murmur*
musclé *muscular*
le **musicien** *musician*
la **musique** *music*
le **mystère** *mystery*

nager *to swim*
le **nageur** *swimmer*
naïf (-ve) *simple*
naître *to be born*
la **nappe** *table-cloth*
natal *native (town, country*
la **natation** *swimming*
national (-aux) *national*
ne . . . aucun *none, not any no*; **ne . . . jamais** *never*; **ne . . . ni, ni** *neither . . .nor*; **ne . . . nulle part,** *nowhere*; **ne . . . pas** *not*; **ne . . . personne** *nobody*; **ne . . . plus** *no more*; **ne . . . que** *only*; **ne . . . rien** *nothing*
néanmoins *nothing*
nécessaire *necessary*
la **neige** *snow*
n'est-ce pas! *is it not so! isn't it!*
nettoyer *to clean*
neuf (-ve) *new*
le **nez** *nose*
noir *black*
le **nom de famille** *surname*
le **nombre** *number*
nombreux (-euse) *numerous*
nommer *to appoint*
le **nord** *north*
nourrir *to feed*
la **nourriture** *food*
nouveau (-el,-elle) *new*
la **nouvelle** *news*
novembre (m.) *November*
se **noyer** *to drown*
nu *naked*
le **nuage** *cloud*
la **nuit** *night*
le **numéro** *number*

un **objet** *object*
obligé de *obliged to*
l'**obscurité** (f.) *darkness*
une **occasion** *opportunity*
occupé *busy*
s'**occuper de** *to be busy with*
octobre (m.) *October*
une **odeur** *smell*
un **œil (des yeux)** *eye*
un **œuf** *egg*
offrir *to offer, give*
un **oiseau (-x)** *bird*
l'**ombre** (f.) *shade*
un **oncle** *uncle*
un **ongle** *(finger) nail*
opposé *opposite*
un **orage** *storm*
une **orange** *orange*
un **orchestre** *orchestra*
une **oreille** *ear*
un **oreiller** *pillow*
un **os** *bone*
oser *to dare*
ôter *to take off*
oublier (de) *to forget to*
l'**ouest** (m.) *west*
un **ours** *bear*
un **outil** *tool*
ouvert *open*
un **ouvre-boîte (des ouvre-boîtes)** *tin opener*
une **ouvreuse** *usherette*
un **ouvrier** *worker*
ouvrir *to open*
l'**oxygène** (m.) *oxygen*

pacifique *peaceful*
le **pain** *bread*
la **paire** *pair*
paisiblement *peacefully*
la **paix** *peace*
le **palier** *landing (in house)*
le **palmier** *palm-tree*
le **panier** *basket*
la **panne** *breakdown*
le **pansement** *dressing*
le **pantalon** *trousers*
les **pantoufles** (f.) *slippers*
le **pape** *Pope*
la **papeterie** *stationer's*
le **papier** *paper*
le **paquebot** *steamer*
Pâques *Easter*
le **paquet** *packet*
paraître *to appear*
le **parapluie** *umbrella*
parce que *because*
parcourir *to run through*
le **pardon** *pardon*
le **pare-brise** *windscreen*

pareil (-eille) *similar*
paresseux (-euse) *lazy*
par exemple *for example*
parfois *sometimes*
parler *to speak*
la **parole** *work*
partager *to share*
la **partie** *game*
partir *to set off*
partout *everywhere*; **un peu ——** *more or less everywhere*
parvenir à faire qq. ch. *to succeed in*
le **pas** *step*
pas grand-chose *not much*
le **passage à niveau** *level-crossing*
le **passage clouté** *pedestrian crossing*
le **passager** *passenger*
le **passant** *passer-by*
le **passeport** *passport*
passer *to pass*; *to be showing (of film)*
le **passe-temps** *pastime, hobby*
passionnant *exciting, gripping*
patiner *to skate*
la **pâtisserie** *confectionery*
le **patron** *boss*
la **patte** *paw*
pauvre *poor*
payer *to pay for*
le **pays** *country*
le **paysan** *peasant*
la **peau (-x)** *skin*
la **pêche** *fishing catch*
pêcher *to fish*
le **pêcheur** *fisherman*
la **pédale** *pedal*
le **peigne** *comb*
peindre *to paint*
la **peine** *trouble, worry*
la **peinture** *paint*
la **pelle** *spade*
la **pelouse** *lawn*
se **pencher** *to lean (over) (out)*
pendant *during*; **pendant que** *while*
pendre *to hang*
la **pendule** *clock*
pénétrer dans *to go into*
pénible *painful*
la **péniche** *barge*
la **péninsule** *peninsula*
penser *to think*
le **percolateur** *coffee percolator*
perdre *to lose*
le **père** *father*
permettre à qqn de *to permit, allow*
le **perroquet** *parrot*
la **personne** *person*
personne ne . . . *nobody*
peser *to weigh*
la **pétanque** *bowls*
petit *small*
le **petit-fils** *grandson*
le **pétrole** *oil*
peu cher *inexpensive*
à **peu près** *approximately*
le **peuple** *people*
peur, avoir — *to be afraid*
peut-être *perhaps*
le **phare** *headlight*
la **pharmacie** *chemist's shop*
le **pharmacien** *chemist*
le **phono** *record-player*
le **photographe** *photographer*
la **photographie** *photography*
la **phrase** *sentence*
le **piano** *piano*
la **pièce** *room*
le **pied** *foot*
la **pierre** *stone*
le **piéton** *pedestrian*
piloter *to fly a plane*
le **pin** *pine tree*
la **pioche** *pick-axe*
le **pion** *supervisor in school*
la **pipe** *pipe*
piquer *to sting*
le **pistolet** *pistol*
la **place** *square*
le **plafond** *ceiling*
la **plage** *beach*
plaider *to plead*
plaindre *to pity*
se **plaindre** *to complain*
la **plaine** *plain*
plaire à *to please*
le **plaisir** *pleasure*
la **planche** *plank*
le **plancher** *floor*
planter *to plant*
le **plateau (-x)** *tray*
plein *full*; **faire le —— d'essence** *to fill up with petrol*
pleurer *to cry*
pleuvoir *to rain*
plier *to fold, bend*
plonger *to dive*
la **pluie** *rain*
la **plume** *feather*; *nib*
plusieurs *several*
plus tard *later*
plutôt *rather*
le **pneu** *tyre*
la **poche** *pocket*
le **poêle** *stove*
le **poids** *weight, shot*
la **poignée** *fistful*
le **poing** *fist*
point du tout *not at all*
pointu *pointed*
la **poire** *pear*
le **poisson** *fish*
la **poitrine** *chest*
poli *polite*
la **police** *police*
la **politique** *politics*
la **pomme** *apple*
la **pomme de terre** *potato*
le **pompier** *fireman*
le **pont** *bridge*
populaire *popular*
le **porc** *pork*
le **port** *port*
la **porte** *door*
porter *to wear, carry*
le **porteur** *porter*
le **portefeuille** *wallet*
la **portière** *door (of car, railway-carriage)*
poser *to put*
poser une question *to ask*
posséder *to possess*
le **poste de T.V.** *T.V. set*
la **Poste** *Post Office*
le **potage** *soup*
le **pot à peinture** *paint-pot*; **—— à fleurs** *flower-pot*; **—— de crème** *pot of cream*
la **poule** *hen*
le **poulet** *chicken*
le **pourboire** *tip*
poursuivre *to pursue*
pourtant *however*
pousser *to push, to grow*
la **poussière** *dust*
pouvoir *to be able*
la **prairie** *meadow*
pratique *practical, useful*
pratiquer *to practise*
le **pré** *meadow*
précieux (-euse) *precious*
se **précipiter** *to rush*
précis *precise*
préférer *to prefer*
premier (-ère) *first*
prendre *to take*
prendre place *to take one's place*
le **prénom** *Christian name*
préparer *to prepare*
près de *near*
présenter *to present*; *to introduce*
le **président** *president*
presque *almost*
se **presser** *to hurry*
prêt à *ready to*
prêter *to lend*
prévenir *to inform*
prier *to request*
la **prière** *prayer*
principal (-aux) *principal*
le **printemps** *spring*; **au ——** *in spring*
la **prise** *socket*
le **prisonnier** *prisoner*
privé *private*
privé de *deprived of*
le **prix** *prize*; *price*
le **problème** *problem*
prochain *near, next*
produire *to produce*
le **produit** *product*
le **professeur** *professor, teacher*
la **profession** *profession*
profond *deep*
le **programme** *programme*
se **promener** *to go for a walk*
propre *clean*, (une chemise propre)
propre *own* (ma propre chemise)
le **propriétaire** *owner*
protéger *to protect*
les **provisions** (f.) *foodstuffs*
public (-ique) *public*
puissant *powerful*
le **puits** *well*
punir *to punish*
le **pyjama** *pair of pyjamas*

le **quai** *platform, quayside*
la **qualité** *quality*
quand *when*
quand même *even so, all the same*
la **quantité** *quantity*
le **quart** *quarter*
le **quartier** *district*
quelque chose *something*
quelquefois *sometimes*
quelque part *somewhere*
quelques *some, a few*
quelqu'un (e) *someone*
la **question** *question*
la **queue** *tail*; *cue*; *queue*

la **quincaillerie** *ironmonger's shop*
quitter *to quit, leave*
quotidien *daily*

raconter *to narrate*
le **radiateur** *radiator*
la **radio** *radio*
raide *stiff*
la **raison** *reason*; **avoir ——** *to be right*
raisonnable *reasonable*
ramasser *to pick up*
la **rame** *oar*
le **rang** *row*
ranger *to put away*
rapide *quick*
rapiécer *to patch*
se **rappeler** *to remember*
les **rapportages** (m.) *telling tales*
la **raquette** *racquet*
rare *few, rare*
se **raser** *to shave*
le **rasoir** *razor*
rauque *hoarse*
se **raviser** *to change one's mind*
le **rayon** *shelf, ray, beam, spoke*
le **rebord** *edge*
récent *recent*
la **recette** *recipe*
recevoir *to receive*
le **réchaud** *camping stove*
réclamer *to ask for*
la **récolte** *harvest*
reconnaître *to recognise*
reculer *to go backwards*
rédiger *to draw up*
redresser *to lift up*
réfléchir *to reflect*
refuser de *refuse*
le **regard** *look, glance*
regarder *to look at*
la **région** *region*
la **reine** *queen*
relier *to link*
remarquer *to notice*
remercier *to thank*
remettre *to hand over*
remonter *to wind up*
remplacer *to fill the place of*
remplir *to fill*
remuer *to move*
rencontrer *to meet*
rendre *to give back*; **—— visite à** *to visit*; **se —— à** *to go to*; **se —— compte de** *to realize*
renifler *to sniff*
le **renseignement** *piece of information*
la **rentrée des classes** *return to school*
rentrer *to return, to go back (home)*
renverser *to overturn*
réparer *to repair*
le **repas** *meal*
répéter *to repeat*
répondre *to reply*
la **réponse** *answer*
le **repos** *rest*
se **reposer** *to rest*
reprendre *to take again, to start up again*
représenter *to represent*
la **république** *republic*
le **réservoir** *petrol-tank*
respirer *to breathe*
se **résigner à** *to resign oneself to*
la **responsabilité** *responsibility*
ressembler à *to resemble, to be like*
ressemeler *to resole*
le **restaurant** *restaurant*
le **reste** *remainder*
rester *to remain*
le **résultat** *result*
le **retard** *delay*; **en retard** *late*
retarder *to be slow*
retenir *to retain, book*
retentir *to ring out*
retourner *to go back*
la **retraite** *retreat*
la **réunion** *meeting, gathering*
réussir à *to succeed in*
le **réveille-matin** *alarm clock*
réveiller *to wake (someone)*; **se ——** *to wake up (oneself)*
revenir *to come back*
le **réverbère** *lamp-post*
au **revoir** *good-bye*
la **revue** *magazine*
le **rez-de-chaussée** *ground-floor*
le **Rhin** *Rhine*
le **rhinocéros** *rhinoceros*
le **rhume** *cold*
riche *rich*
la **richesse** *wealth*
le **rideau (-x)** *curtain*
rire *to laugh*
risquer *to risk*
le **rivage** *shore, bank*
la **rivière** *river*
le **riz** *rice*
la **robe** *dress*
la **robe de chambre** *dressing-gown*
le **robinet** *tap*
le **roi** *king*
le **roman** *novel*
le **romanche** *Romansh language*
rond *round*
rôti *roasted*
la **roue** *wheel*
rouge *red*
rouler *to roll, to travel*
la **route** *road, route*; **en—— pour** *on the way to*
la **rue** *street*
le **rugby** *rugby*; **le —— à 13** *R.L.*; **le —— à 15** *R.U.*
la **Russie** *Russia*

le **sable** *sand*
le **sac** *bag*; **le —— à dos** *rucksack*; **le—— à main** *handbag*; **le —— de couchage** *sleeping bag*
la **sacoche** *postman's bag*
sage *well behaved*
la **saison** *season*
le **salaire** *wages*
sale *dirty*
la **salade** *salad*
la **salle** *room*; **la —— à manger** *dining room*; **la —— d'attente** *waiting room*; **la —— de bains** *bathroom*; **la —— de classe** *classroom*
le **salon** *lounge, sitting room*
saluer *to salute*
samedi (m.) *Saturday*
le **sang** *blood*
sans *without*; **—— doute** *doubtless*
sans cesse *unceasingly*
la **santé** *health*
la **saucisse** *sausage (needing to be cooked)*
le **saut** *jump, jumping*
le **saut en hauteur** *high jump*
sauter *to jump*
sauver *to save*
se **sauver** *to run away*
la **saveur** *taste*
savoir *to know how to*
le **savon** *soap*
la **scène** *stage*
la **scie** *saw*
sculpter *to sculpture, carve*
la **sculpture** *sculpture*
le **seau (-x)** *bucket, pail*
sécher *to dry*
la **seconde** *second (of time)*
au **secours!** *help!*
le **séjour** *stay*
le **sel** *salt*
selon *according to*
la **semaine** *week*
sembler *to seem*
semer *to sow*
le **sens** *sense, meaning*
sentir *to feel*
septembre (m.) *September*
sérieux (-euse) *serious*
le **serpent** *snake*
serrer *to squeeze*; *to apply (brakes)*
le **service** *service*
la **serviette** *towel, brief case*
une **serviette-éponge** *towel*
servir *to serve*; **—— à** *to be used for*; **se —— de** *to make use of*
le **seuil** *threshold*
seul *alone*
sévère *severe*
si *if*
le **siècle** *century*
siffler *to whistle*
silencieux (-euse) *silent*
le **singe** *monkey*
singulier (-ère) *peculiar, unusual*
le **skieur** *skier*
la **sœur** *sister*
la **soie** *silk*
la **soif** *thirst*; **avoir ——** *to be thirsty*
soigner *to care for*
soigneusement *carefully*
le **soin** *care*
le **soir** *evening*
le **sol** *soil*
le **soldat** *soldier*
le **soleil** *sun*
solide *solid*
sombre *dark*
la **somme** *sum of money*
le **sommeil** *sleep*
le **son** *sound*
sonner *to ring*
la **sonnette** *bell*

la **sortie** *way-out, exit*
sortir *to go out*
la **soucoupe** *saucer*
souffler *to blow* (*out*)
le **souffleur** *prompter*
souffrant *ill*
souffrir *to suffer*
souhaiter qq. ch. à qqn *to wish somebody sthg.*
soulever *to raise, to lift up*
le **soulier** *shoe*
la **soupe** *soup*
soupirer *to sigh*
la **source** *spring*
sourd *deaf*
souriant *smiling*
sourire *to smile*
le **sourire** *smile*
la **souris** *mouse*
sous *under*
souterrain *understand*
le **sport** *sport*
le **stylo** *fountain pen*
le **succès** *success*
le **sucre** *sugar*
le **sud** *south*
suffire *to suffice*
suggérer *to suggest*
suivre *to follow*
sur *on*
surtout *especially*
surveiller *to keep an eye on*
sur-le-champ *at once*

le **tabac** *tobacco*
la **table** *table*
le **tableau** *picture*; **le —— d'affichage** *notice board*
le —— noir *blackboard*
le **tablier** *apron*
la **tache** *stain, spot*
la **taille** *figure*
tailler *to sharpen, cut*
le **tailleur** *tailor*
se **taire** *to be silent*
le **talon** *heel*
tant de *so many*
le **tapis** *carpet*
tard *late*; **plus——** *later*
le **tas** *heap*
la **tasse** *cup*
tâtonner *to grope*
le **taureau (-x)** *bull*
le **taxi** *taxi*
le **télégramme** *telegram*
le **téléphone** *telephone*
téléphoner à *to telephone*
la **télévision** *T.V.*
le **témoin** *witness*
le **temps** *weather*
de **temps en temps** *from time to time*
tendre *to hold out*
tenir *to hold*; **se ——** *to stand*
le **tennis** *tennis*
la **tente** *tent*
le **terrain** *ground*; **le —— de camping** *camping ground*
la **terrasse** *terrace*
la **terre** *earth*
terrible *terrible*
la **tête** *head*
le **thé** *tea*
le **théâtre** *theatre*
tiédir *to turn tepid, luke-warm*
le **tiers** *third*
le **timbre** *stamp*
tirer *to pull*; *to shoot*
le **tiroir** *drawer*
le **tissu** *tissue*
la **toile** (*back*) *cloth*
la **toile d'araignée** *spider's web*
le **toit** *roof*
la **tomate** *tomato*
tomber *to fall*
le **tonnerre** *thunder*
la **tortue** *tortoise*
tôt *soon*
toujours *always*
le **tour** *tour, trip; turn*
le **touriste** *tourist*
tourner *to turn*
tousser *to cough*
tout, toute, tous, toutes *all*; **tout à coup** *suddenly*; **tout à fait** *quite, entirely*; **tout de suite** *at once*; **tout droit** *straight on*; **tout le monde** *everyone*; **toutes les x minutes** *every x minutes*;
le **tracteur** *tractor*
le **train** *train*
la **tranche** *slice*
tranquille *calm, tranquil*
transatlantique *trans-atlantic*
transmettre *to transmit*
transporter *to transport*
le **travail** *work*
travailler *to work*
travailleur *hard-working*
à **travers** *across*
traverser *to cross*
trébucher *to stumble*
très *very*
tressaillir *to start, quiver*
le **tribunal** *law-court*
le **tricot** *knitted garment*
tricoter *to knit*
triste *sad*
la **tristesse** sadness
se **tromper de** *to be mistaken about*
le **tronc** *tree trunk*
trop *too*; **—— de** *too much, too many*
le **trottoir** *pavement*
le **trou** *hole*
le **trousseau (-x)** *bunch*
trouver *to find*; **se ——** *to be situated*
tuer *to kill*
la **tuile** *tile*
le **tunnel** *tunnel*
le **tuyau (-x)** (*drain*) *pipe*

l'**urgence** (f.) *urgency*
urgent *urgent*
user *to wear out*
une **usine** *factory*
utile *useful*

les **vacances** (f.) *holidays*
le **vacarme** *din*
vacciner *to vaccinate*
la **vache** *cow*
la **vaisselle: faire la ——** *to wash up*
la **valeur** *value*
la **valise** *suitcase*
la **vallée** *valley*
valoir *to be worth*
la **vapeur** *steam*
le **vase** *vase*
le **veau (-x)** *calf, veal*
la **vedette** *star* (*man or woman*)
la **veille** *the day before*
le **vélo** *bike*
le **vendeur** *salesman*
vendre *to sell*
vendredi (m.) *Friday*
venir *to come*; **il vient de** *he has just*; **il venait de** *he had just*
le **vent** *wind*
le **ventre** *abdomen*
vérifier *to check*
véritable *true*
la **vérité** *truth*
le **verre** *glass*
vers *towards, about*
verser *to pour*
le **verso** *back, reverse*; **au —— de** *on the back of*
vert *green*
verticalement *vertically*
la **veste** *jacket*
les **vêtements** (m.) *clothes*
le **vétérinaire** *veterinary*
vêtu de *dressed in*
la **viande** *meat*
vide *empty*
la **vie** *life*
le **vieillard** *old man*
vieux, vieil, vieille, vieux, vieilles *old*; **mon vieux** *'my dear chap'*
vif (vive) *lively*
le **village** *village*
la **ville** *town, city*
le **vin** *wine*
violent *violent*
le **violon** *violin*
le **visage** *face*
la **visite** *visit, search*; **rendre —— à** *to visit someone*
la **vitesse** *speed, gear*; **à toute ——** *at top speed*
la **vitre** *window pane*
la **vitrine** *shop window*; *display case*
vivre *to live*
la **voie (ferrée)** *railway*
voilà *there is, there are*
la **voile** *sail*; **faire de la ——** *to sail*
voir *to see*
le **voisin** *neighbour*
la **voiture** (*railway*) *carriage*; *motor car*
la **voix** *voice*
le **vol** *flight*
le **volant** *steering wheel*
voler *to fly, to steal*
le **voleur** *thief*; **au ——!** *stop thief!*
le **volley-ball** *volleyball*
vouloir *to want, wish*; **en —— à qqn** *to bear a grudge against someone*
le **voyage** *journey*
le **voyageur** *traveller*
la **vue** *view, sight*

le **wagon** *wagon*

y *there, to it, at it,* etc.